CW00402600

JOURNAL D'UN JEUNE DIPLOMATE DANS L'AMÉRIQUE DE TRUMP

JÉRÉMIE GALLON

Journal d'un jeune diplomate dans l'Amérique de Trump

essai

GALLIMARD

À mes parents
et à mon frère

« Pour triompher, le mal n'a besoin que de l'inaction des gens de bien. »

Edmund BURKE

Prologue

Chaque fois que je rentre en Auvergne et quitte les zones privilégiées du centre de Paris, je vois un autre pays. Une France qui continue de perdre des emplois. Une France qui a peur d'être balayée par les évolutions technologiques actuelles. Une France qui ne comprend pas pourquoi le travail est plus taxé que le capital. Et une France qui a le sentiment qu'elle ne sait plus vraiment quelle est son identité. Le lien social y demeure très tendu. Les peurs, les anxiétés, les colères y sont plus vives que jamais.

Je suis un Français né au milieu des années 1980. Je fais partie d'une génération qui n'a connu que la crise. Une génération pour laquelle les mots « chômage », « paupérisation » et « insécurité » ont fait office de compagnons d'infortune. J'avais seize ans lorsque le FN est arrivé au second tour de la présidentielle. Dix-neuf quand nos banlieues se sont embrasées et que notre pays a dit non à l'Europe.

C'est dans un petit village au nord de l'Auvergne que j'ai passé mon enfance et mon adolescence. Au cœur d'une région superbe mais économiquement éprouvée. Une région où le tissu industriel n'a cessé de décliner, où les agriculteurs ne retrouvent plus le fruit de leur travail si exigeant et où les jeunes n'ont que peu d'opportunités d'emploi.

J'ai eu la chance de grandir au sein d'une famille soudée, aimante et où j'avais accès à la culture. Au cours de notre enfance, mon frère et moi avons pu nous plonger dans les livres. Notre maison en regorgeait. À table, le soir, nous débattions sans cesse de l'actualité avec nos parents.

Ma mère avait choisi d'enseigner le français en ZEP. C'est là qu'elle trouvait le plus de sens à son métier. Elle nous rappelait régulièrement qu'elle avait de nombreux élèves qui étaient aussi malins et intelligents que nous. Certains rêvaient de devenir médecin ou avocat. Mais contrairement à mon frère et moi, eux n'avaient presque « aucune chance de s'en sortir ». Pour beaucoup, leurs parents ne parlaient pas français. Le soir, chez eux, ils n'avaient pas la moindre pièce où étudier au calme. Un grand nombre étaient donc condamnés à ne pas connaître d'autres horizons que les tours grises de leurs cités et les petits trafics.

Alors que j'étais au lycée à Montluçon, j'avais confié à une de mes professeurs mon rêve d'intégrer une prépa parisienne. « N'y pensez pas, m'avait-elle répondu. Si vous êtes admis en prépa à Bourges, ce sera déjà bien. Aucun de nos élèves n'est jamais pris à Paris. » Mes parents m'avaient élevé dans le culte de la méritocratie et la conviction que l'on peut s'élever socialement par l'école de la République. Abandonner mon rêve, cela aurait signifié renoncer à cet idéal. J'ai donc continué de travailler dur. Encouragé par un prix au Concours général, j'ai finalement osé envoyer ma candidature. À la rentrée suivante, je devenais interne au lycée Henri-IV. Ce fut le début de deux années difficiles mais passionnantes en hypokhâgne-khâgne.

Quelques années plus tard, diplômé d'une grande école et après des études de droit, je débutais ma carrière comme avocat dans un cabinet international. Néanmoins, ma foi dans la méritocratie républicaine avait déjà commencé à être mise à l'épreuve.

Alors qu'en arrivant à Paris, je m'attendais à rencontrer des élites intellectuelles et économiques éclairées et bienveillantes, je découvrais que la France est un pays de castes. Un pays où l'entre-soi règne en maître. Un pays où les élites passent souvent plus de temps à préserver leurs propres intérêts qu'à défendre l'intérêt général.

J'ai alors progressivement réalisé que si je poursuivais mon parcours de « premier de la classe », je passerais à côté de ce que je désirais vraiment. Certes, la France pourrait m'offrir une aisance sociale. Après de nombreuses années comme avocat d'affaires, il me serait possible de m'offrir un bel appartement à Paris. Mais je voulais plus : je voulais donner du sens à ce que je faisais. Je voulais transformer cette sorte de rage intérieure qui me réveille chaque jour à l'aube en une énergie me permettant de modifier le cours des choses.

Pour cela, je devais pouvoir créer, innover et tenter. Quitte à faire face à un échec dont je pressentais qu'il me serait nécessaire pour progresser. Surtout, ne pas être enfermé dans une case à l'âge de vingt-cinq ans. J'ai compris que la France ne me donnerait pas une telle possibilité. Cette société était trop hostile au risque. J'ai donc décidé de partir. Pour me construire humainement et intellectuellement. Et pour avoir enfin l'opportunité de faire mes preuves.

Après avoir vécu en Chine, je suis parti aux États-Unis. J'ai d'abord étudié à l'université Harvard puis, après quelques mois passés à sillonner les Balkans, j'ai rejoint le service diplomatique européen. J'ai fait ce choix car, même si je suis conscient des faiblesses des institutions communautaires, je demeure convaincu que bâtir une véritable Europe politique sera le grand défi de ma génération.

Si à Washington j'ai pu voir au plus près les coulisses du pouvoir américain, de la Maison-Blanche au Congrès, en passant par le Département d'État, le Pentagone et les nombreux think tanks de la capitale américaine, c'est surtout le reste de l'Amérique que j'ai aimé parcourir. C'est dans les États du Sud, les anciennes régions minières des Appalaches, ou la Rust Belt frappée de plein fouet par la désindustrialisation que j'ai le plus appris sur l'Amérique. Dans ces régions éloignées des circuits touristiques et méconnues des élites de la Silicon Valley et de la côte Est, j'ai rencontré des femmes et des hommes qui m'ont rappelé celles et ceux avec lesquels j'ai grandi en Auvergne.

Des hommes et des femmes qui, pour la plupart, ne sont ni racistes ni extrémistes. Mais qui ont le sentiment d'être les perdants de la mondialisation. Ils ne parviennent plus à payer les études de leurs enfants et à boucler les fins de mois. À ceux qui leur parlent des opportunités liées à l'« uberisation » de l'économie, ils répondent que celle-ci est pour eux synonyme de précarité. Dans cette Amérique, l'espérance de vie des hommes blancs est en recul. L'alcoolisme et les vagues de suicide font des ravages. Quant aux opiacés, ils en sont le nouveau fléau. Plusieurs dizaines de milliers d'Américains en meurent par overdose chaque année.

Deux choses nourrissent plus que toute autre leur colère. Tout d'abord, ce sentiment prégnant que la vie sera plus dure pour leurs enfants qu'elle ne l'a été pour eux. Ils ne croient plus en l'ascenseur social. Ce n'est pas seulement leur vie qui n'a pas d'horizon. C'est aussi celle de leurs enfants.

Par ailleurs, qui les écoute ? Alors que les démocrates ont fait le pari de gagner en s'appuyant sur les minorités, que l'establishment républicain se perd dans des luttes de pouvoir interne et que les politiques de discrimination positive ne leur sont pas destinées, ils se perçoivent comme les grands oubliés de l'Amérique.

Cette Amérique, c'est celle qui a porté ses voix vers Trump. Un Trump qui ne leur a apporté aucune réponse mais a su jouer sur leur colère et leurs craintes. De la même manière que, quelques mois plus tôt, les leaders de la campagne pro-Brexit avaient, à coup de mensonges, nourri le mélange de frustration économique et d'anxiété culturelle qui anime les campagnes et bassins industriels britanniques. Ces régions qui ont si peu en commun avec Londres, ville-monde ayant prospéré grâce à l'industrie financière.

Au lendemain du Brexit et de l'élection du candidat républicain, tous pensaient aux États-Unis que la France serait le prochain pays à tomber aux mains des populistes. Cela semblait inévitable pour une France alors décrite comme « le nouvel homme malade de l'Europe » par *The Economist.* Le *New York Times* et les grands journaux américains multipliaient les articles sur la crise d'identité qui rongeait notre pays, se faisant ainsi l'écho outre-Atlantique des ouvrages d'Alain Finkielkraut, Éric Zemmour ou Michel Houellebecq. La France était le symbole même du déclin occidental. Le pire était donc à venir. C'était écrit, c'était évident, c'était inéluctable.

Au moment même où leur pays semblait prêt à sombrer dans l'abîme, les Français ont pourtant choisi de surprendre le reste du monde en refusant ce scénario écrit à l'avance. Au cœur d'un continent où les europhobes progressent partout, la France a élu à sa tête un homme qui place l'Europe au centre de sa vision politique. Dans un pays où de nombreux leaders se disent pro-européens en privé mais en sont honteux en public et rayent de leurs discours les paragraphes consacrés à l'Europe, les Français ont fait le choix d'un leader qui n'a eu de cesse de défendre l'Union européenne sans pour autant en taire les inefficiences et les manques.

Aux États-Unis que je sillonnais alors, le regard sur la France a soudain changé. « Étonnants Français qui s'offrent une dernière chance de ne pas basculer dans des lendemains très sombres », semblaient penser la plupart de mes interlocuteurs.

Sur le plan personnel, il m'apparut alors clairement que si mon pays se donnait vraiment l'opportunité d'entrer dans une nouvelle ère, je ne pouvais pas en rester éloigné plus longtemps.

Cependant, tandis que je m'attendais à retrouver une société française mue par un sentiment d'urgence et la conviction que ce n'était qu'un sursis bien fragile qu'elle s'était donné, je fus frappé de découvrir une France où beaucoup restent persuadés que tout peut continuer comme avant. À tous les niveaux de la société, les conservatismes et les corporatismes demeurent plus puissants que jamais.

Pendant plusieurs années, j'ai vu dans l'Amérique d'Obama

des élites qui, parce qu'elles s'enrichissaient toujours plus et bénéficiaient de la mondialisation, pensaient que leur pays se portait bien. Des classes supérieures qui, parce que la croissance était au rendez-vous et que le taux de chômage était faible, demeuraient aveugles au mal-être et à la colère d'une grande partie du peuple américain.

La France est désormais confrontée à un risque similaire. Ce risque, c'est celui de la complaisance. Une partie de nos élites se voile la face en pensant que si les réformes menées les satisfont, alors elles satisfont l'ensemble du pays. Elles se fourvoient en croyant que les extrémistes de tout bord sont anéantis. Dans nos campagnes, dans nos banlieues, dans nos villes paupérisées, le mal-être demeure profond. Loin d'être sauvée, la France n'est donc qu'au début de la bataille.

Au cours des dernières années, j'ai eu la chance de parcourir une Amérique qui, au-delà des différences culturelles et politiques avec la France, est confrontée à beaucoup de menaces similaires. De Washington au Texas, en passant par la Virginie-Occidentale ou la Géorgie, j'ai vécu des rencontres et des moments qui m'ont donné une autre perspective sur les défis auxquels la société française fait face. Alors que notre pays est aujourd'hui à la croisée des chemins, ce sont certaines de ces expériences que j'ai voulu partager dans ce journal.

Soir d'élection

Pierre glisse sa tête dans l'entrebâillement de la porte. Nos bureaux ne sont séparés que de quelques mètres. « D'après les premières estimations, les Latinos votent massivement en Floride », me dit-il. Il a le sourire des bons jours. Ce sourire que j'ai appris à connaître lors de soirées passées à disserter sur le futur de l'Europe.

Ce 8 novembre 2016, nos pensées sont pourtant ailleurs. La Floride est un État clé. Si Clinton l'emporte, alors rien ne pourra l'empêcher d'entrer à la Maison-Blanche. À la suite des propos que Trump a tenus à l'égard des Mexicains et des immigrés hispaniques durant la campagne, la plupart des observateurs ont peu de doutes sur le fait que l'électorat hispanique votera massivement démocrate. À une nuance près: les Américains d'origine cubaine. Dans leur grande majorité, ceux-ci ont encore du mal à accepter le rapprochement opéré par Obama avec le régime des frères Castro. Un régime toujours honni par celles et ceux qui l'ont fui au péril de leur vie.

«Je file au *Washington Post*», lui dis-je en enfilant mon manteau. Je quitte alors mon bureau situé au dernier étage de la délégation de l'Union européenne. Tout près de

Washington Circle, au cœur même de la capitale américaine. Pour ménager les susceptibilités des services diplomatiques des États membres, le mot « délégation » a été préféré à celui d'« ambassade ». Une façon de ne pas nommer les choses, typique de l'Europe actuelle.

En quittant la délégation, je remonte K Street. Le long de cette rue, des immeubles sans âme hébergent les lobbyistes les plus influents de Washington. Des hommes et des femmes qui font et défont les régulations, et qui sont payés des fortunes pour pousser les projets de lois favorables aux intérêts de leurs clients. Des groupes religieux aux défenseurs de la cause animale, en passant par l'industrie chimique et les géants de la Silicon Valley ou de Wall Street, il n'est pas un acteur de la vie économique et politique américaine qui n'ait son lobby. Cela fait partie des règles du jeu à Washington.

Dans l'imaginaire populaire américain, « K Street » est d'ailleurs devenue une expression générique utilisée pour décrire la puissance opaque et controversée des lobbyistes. Lorsque j'avais demandé à un grand patron américain, fin connaisseur des rouages de Washington, d'où venait l'influence démesurée de ces derniers, sa réponse avait été cinglante : « Il faut que tu comprennes que nous sommes dans une ville où la plupart des membres du Congrès, des journalistes et des autres intervenants du débat public donnent constamment leur avis sur tout sans jamais connaître le fond des dossiers. Parler sans savoir est devenu un véritable business à Washington. Ça offre un boulevard pour les lobbyistes qui maîtrisent sur le bout des doigts les régulations. Forts de leurs expertises, ils peuvent influencer la rédaction des législations et régulations auprès de politiciens qui n'y connaissent souvent pas grand-chose. »

L'avenir allait me montrer qu'il avait malheureusement raison.

En une quinzaine de minutes, je me retrouve devant l'entrée majestueuse du *Washington Post* sur Franklin Square. Au cours de mes années passées aux États-Unis, j'ai peu à peu fait du «*Post*», comme ses lecteurs l'appellent, mon quotidien favori. Ses analyses sont toujours fouillées et nuancées. Depuis ses heures de gloire au moment du scandale du Watergate, immortalisées par Alan Pakula dans *Les Hommes du président* avec Dustin Hoffman et Robert Redford, le journal a su se renouveler. Il collectionne les prix Pulitzer et a permis à une nouvelle génération de grands reporters d'émerger. Désormais soutenu par la fortune sans limites de Jeff Bezos, le *Post* est devenu un des journaux les plus prestigieux et puissants du monde.

Après avoir suivi une hôtesse qui me mène dans les étages supérieurs du quotidien, je pénètre dans la grande salle où se déroule la soirée électorale. Le champagne coule à flots et d'énormes enceintes crachent une musique assourdissante. Au milieu d'ambassadeurs, de journalistes, de think tankers influents et de hauts responsables politiques américains tenant à leur bras des épouses qui n'ont pas lésiné sur le Botox, de jeunes serveuses slaloment entre les convives. Bref, tous les ingrédients d'une soirée réussie à Washington sont réunis.

Des écrans géants diffusent CNN. Sans surprise, Fox News n'a pas été choisie comme chaîne de prédilection. Soudain, un ambassadeur européen me prend par le bras. «Ne t'inquiète pas Jérémie, me dit-il, la question n'est pas de savoir si Hillary va gagner. Elle va gagner. La seule question est de savoir avec quelle marge.» Et alors qu'il vient de reprendre une coupe de champagne, il me dit en me mettant la main sur l'épaule : « J'ai l'expérience des campagnes électorales. Je te le dis. Ça va être un raz-de-marée démocrate. »

Il n'est pas l'exception. Pendant les deux heures qui suivent, journalistes, diplomates, hommes d'affaires, tous me soumettent la même analyse. Chaque fois en prenant cet air averti de ceux qui « en ont vu d'autres ». Les prédictions vont également bon train sur la composition de la future administration Clinton. On me montre tel ou tel convive en me disant à voix basse qu'il occupera bientôt une fonction éminente à la Maison-Blanche ou au Département d'État. Depuis quelque temps, j'ai en effet remarqué que chaque fois que je rencontre un des membres de l'équipe Clinton, celui-ci semble à deux doigts de me dégainer sa carte de visite avec sa future fonction au sein de l'administration.

Bref, la soirée est joyeuse et légère. L'entre-soi règne en maître. Quelques mois plus tard, en repensant à ces instants, je me dirai que c'était probablement une atmosphère similaire à celle qui régnait sur le *Titanic* le soir du 14 avril 1912. Alors que les passagers de première classe dansaient et festoyaient lors du concert donné par Wallace Hartley. Quelques instants à peine avant que le paquebot ne sombre dans les eaux glaciales.

Soudain, à 21 heures, tout change.

Pour la première fois au cours de cette soirée, CNN annonce que Trump prend l'avantage en Floride avec huit mille voix d'avance. J'ai alors le réflexe de regarder autour de moi. Les mêmes qui plaisantaient quelques minutes auparavant ont posé leurs verres. Et alors que les comtés de

Floride et des États clés du Midwest tombent les uns après les autres dans l'escarcelle du candidat républicain, leurs visages se ferment. Tous sont en train de comprendre que rien ne se passera comme prévu. La victoire d'Hillary n'est plus une évidence. L'impensable est désormais possible.

En moins de trente minutes, la musique est coupée et la salle devient déserte. Les diplomates s'engouffrent dans leurs berlines noires garées devant le *Washington Post.* Il leur faut rejoindre au plus vite leurs ambassades. Dans quelques heures à peine, les capitales du monde entier recevront des télégrammes diplomatiques leur annonçant qu'une nouvelle ère est en passe de s'ouvrir à Washington.

Gueule de bois

Plus qu'une défaite électorale, c'est un monde qui vient de s'effondrer pour une grande partie de celles et ceux qui constituent le microcosme politique de Washington. Ces médias, analystes et leaders politiques pensaient sentir le pouls du pays mieux que quiconque. Or, ils ont ignoré pendant des années une autre Amérique. Ils n'ont pas su ou pas voulu écouter ses cris de détresse. Ce soir du 8 novembre 2016, celle-ci a décidé de se rappeler à eux de la plus brutale des manières.

Je prends la décision de ne pas repartir à la délégation comme je devrais le faire. Je sens que nous vivons un moment crucial. Je veux me plonger au cœur de la ville pour sentir au plus près ce qui est en train de se passer. Je pars dans un bar de l'est de la capitale. Dans le quartier de Shaw, un coin en pleine mutation. Autrefois rongé par la drogue et la prostitution et tenu en coupe réglée par des gangs, il s'est profondément transformé au cours des années passées. Shaw est désormais le paradis des hipsters à Washington. Les petits restaurants et bars branchés y pullulent.

Lorsque je franchis la porte du Lost & Found, un silence

de mort y règne. Quelques rares cris de joie résonnent lorsqu'un résultat positif pour Clinton est annoncé. Mais tous ont compris. Inexorablement, la carte des États-Unis, à l'exception des côtes, se couvre du rouge des républicains. Certains pleurent. Il est déjà très tard lorsque je quitte ce bar.

Arrivé chez moi, j'allume CNN. Van Jones, contributeur démocrate sur la chaîne, se demande quelle Amérique il léguera à ses enfants. « Comment puis-je demander à mon fils, s'interroge-t-il, d'être tolérant, poli et respectueux des autres alors que mon pays vient d'élire pour président un homme qui a été l'antithèse de ces valeurs tout au long de sa campagne ? »

Après de trop courtes heures de sommeil, je me réveille la bouche pâteuse. Est-ce Trump ou les old fashioned ingurgités la veille ? Alors que l'automne a été ensoleillé, la grisaille et le froid l'emportent ce matin-là. Dans les rues et dans le métro, l'atmosphère est lourde, pesante. Personne ne parle. Une immense chape de plomb s'est abattue sur la ville. Washington a voté à 93 % en faveur de Clinton.

Quelques jours plus tard, Bob, qui travaille depuis près de quarante ans dans les allées du Congrès, me dit qu'il n'a connu qu'une seule fois une telle atmosphère : le lendemain du 11 Septembre.

En fin de matinée, dans une des salles de la délégation, je regarde Hillary donner son *concession speech*. Le discours dans lequel elle reconnaît sa défaite. Dommage qu'elle ait attendu ce moment pour délivrer ce qui est probablement son meilleur discours depuis le début de la campagne. Elle me rappelle l'ancien Premier ministre britannique Gordon

Brown, qui semblait lui aussi avoir attendu d'être congédié du 10 Downing Street pour enfin prononcer un discours à la mesure de son talent dans les jours précédant le référendum sur l'indépendance écossaise.

Aujourd'hui, Hillary parle avec ses tripes. Il lui a fallu cette défaite, cette humiliation pour enfin sortir d'elle-même.

Elle prononce des mots sur l'engagement politique qui résonnent profondément. Oui, s'engager dans la sphère publique est dur. Les coups tombent, les obstacles s'accumulent. Mais servir le bien public est ce qu'il y a de plus beau. Et si elle n'a pu devenir la première femme présidente des États-Unis, alors elle appelle les jeunes filles qui l'écoutent à ne pas désespérer et à poursuivre le combat. Un jour, cela est certain, l'une d'entre elles accédera à la Maison-Blanche.

Derrière elle, Bill Clinton la regarde avec tendresse et admiration. Il a été un des seuls à comprendre que quelque chose ne tournait pas rond. Il a fait campagne aux quatre coins des États-Unis. Sur le terrain, il a senti la colère de l'Amérique blanche et des classes moyennes. Mais il n'a pas été écouté par l'état-major de campagne de sa femme.

Robby Mook, jeune loup démocrate en charge de la campagne d'Hillary, ne croyait pas aux intuitions d'un vieux politicien comme Bill. Pour lui, une campagne se gagne à coup d'algorithmes. C'est par la technologie qu'il voulait reconstituer la « coalition des minorités » qui avait fait élire Obama en 2008 et 2012. Pas besoin de se déployer sur le terrain. Quelques têtes bien faites réunies à Brooklyn, au cœur du quartier branché de New York, devaient suffire à remporter cette campagne. La réalité des faits allait démontrer aux démocrates que les passions qui animent une nation ne peuvent pas toujours être décryptées à l'aide d'un algorithme, si sophistiqué soit-il.

Au moment où Hillary prononce son discours, je reconnais dans l'audience Jake Sullivan. Je l'ai rencontré quelques mois auparavant dans une rue de Washington. Alors que son jeune frère est un des collaborateurs les plus influents de John Kerry, Jake accompagne Hillary depuis plusieurs années. Il a été son conseiller le plus proche au Sénat et est un de ceux qui ont dirigé sa campagne. Un brillant avenir lui était promis. En cas de victoire démocrate, beaucoup le voyaient nommé conseiller à la Sécurité nationale, un poste qu'Henry Kissinger avait occupé en son temps. Avec Bill, il a été le seul à sentir que tout ne se déroulerait pas comme prévu. Originaire du Minnesota, il était bien placé pour voir que le Midwest ne serait pas le barrage à Trump que tous espéraient. Il le sentait chaque fois qu'il revenait sur les terres de son enfance. Il avait tenté d'alerter Hillary. Mais la cour qui entourait la candidate démocrate avait fait barrage. Sullivan n'avait pas été écouté. Pour lui, la défaite avait donc un goût particulièrement amer.

Ce 9 novembre 2016, mes pensées sont néanmoins tournées vers la France. Après le Brexit et l'élection de Trump, nous savons tous que le futur grand test sera l'élection présidentielle française. Alors que, jeune diplomate, j'ai suivi jour après jour la campagne présidentielle américaine et que je suis désormais aux premières loges pour voir le basculement des États-Unis dans une nouvelle ère, je commence à craindre que mon pays ne tombe lui aussi aux mains des populistes.

Neuf ans plus tôt

J'ai débarqué pour la première fois à Washington le 5 janvier 2008. Je m'attendais à un aéroport ultra-moderne. Je trouvai des infrastructures de béton vieillissantes, à l'image de la plupart des aéroports du pays. On m'avait vanté un pays dynamique où tout va plus vite. Ma première expérience sur le sol américain fut une queue de deux heures pour faire tamponner mon passeport. Le tout conclu par un policier dont la bonhomie et la douceur ne furent pas les qualités qui me frappèrent le plus. Au moins, les Américains veillent à ne pas dépayser les Français qui arrivent sur leur sol.

Je quittai l'aéroport Dulles, portant le nom de celui qui avait dirigé la diplomatie américaine sous le président Eisenhower. Un farouche anticommuniste qui avait renforcé l'OTAN et fomenté en sous-main quelques coups d'État en Iran et au Guatemala dans les années 1950. Le ton était donné.

Uber n'existait pas encore. Je pris donc un taxi dont le chauffeur était, comme la grande majorité à Washington, d'origine éthiopienne. Moins d'une heure plus tard et après avoir longé le Potomac, j'arrivais dans la capitale américaine.

La première chose qui m'a frappé, c'est l'absence de gratte-ciel. La légende dit qu'aucun bâtiment ne peut dépasser le Washington Monument, obélisque dominant le Capitole de sa forme phallique. La vérité, moins séduisante, est qu'une obscure réglementation de 1910 limite la hauteur des immeubles.

En ce début d'année 2008, le temps était glacial. De même que l'humeur du pays. Alors que George W. Bush entamait la dernière année de sa présidence, la nation américaine doutait profondément d'elle-même. L'Amérique traversait sa plus grande crise économique et financière depuis la grande récession. L'explosion de la bulle des *subprimes* avait des effets dévastateurs pour l'ensemble de l'économie américaine.

Dans une ville comme Détroit, des centaines de milliers d'habitants américains se voyaient confisquer leur maison par des banques sans scrupules. Le taux de chômage atteignait près de 30 %. Des quartiers entiers étaient désertés par leurs habitants et abandonnés aux mains des gangs. Chaque jour, des queues de plusieurs heures attendaient celles et ceux qui allaient à la soupe populaire. Beaucoup de familles n'avaient même plus de quoi payer les funérailles de leurs proches. Quant à la municipalité, elle était si endettée qu'elle n'était plus capable de financer les services publics de base tels que la police, l'éclairage des rues ou la collecte des déchets. Tous ceux qui en avaient les moyens quittaient la ville. L'ancien berceau de l'industrie automobile était passé de 2 millions à 900 000 habitants.

La crise avait touché l'ensemble du territoire américain. À une exception près : Washington.

La nature administrative et politique de la ville la rend moins sensible aux cycles de l'économie américaine. Mais comme me l'a expliqué un journaliste danois installé depuis près de trente ans à Washington, un autre facteur a joué : « Après les attaques du 11 Septembre, des centaines de milliards de dollars ont été allouées par le Congrès pour mener les guerres en Irak et en Afghanistan. Ce qui est moins connu, c'est qu'une grande partie de cet argent est allé enrichir des firmes de lobbying liées à l'industrie de la défense. Des firmes situées pour la plupart dans la capitale américaine ou ses environs, au plus près des principaux centres de pouvoir et, en premier lieu, du Pentagone. »

L'histoire de Washington est donc celle d'une ville qui s'est « embourgeoisée » à une vitesse incroyable au cours des dernières années. Entre 2008 et aujourd'hui, j'ai vu des quartiers entiers se transformer. Logan Circle ou Shaw, autrefois gangrenés par la drogue et la prostitution, voient désormais les condominiums luxueux voisiner avec les bars et les restaurants à la mode. Pour le touriste, l'avocat ou le diplomate qui parcourent les rues du centre-ville, la capitale américaine respire la prospérité. Pas d'obèse dans les rues. Juste des hommes et femmes surdiplômés et sportifs qui marchent d'un pas pressé vers les différents centres de pouvoir de la métropole. Il semble loin le temps où Washington était surnommée « la capitale du meurtre ».

La pauvreté n'a pas disparu pour autant. Elle a juste été repoussée un peu plus loin. Dans un quartier comme Anacostia, les gangs et le crack continuent de régner en maître. Si, à l'exception des SDF, on croise peu de Noirs dans le centre-ville, les statistiques nous rappellent que la population est constituée à 50 % d'Afro-Américains. Au fur et à mesure que la ville s'enrichit, beaucoup d'entre eux continuent de vivre dans la misère et la violence de banlieues plus éloignées.

Mais revenons à l'hiver 2008. L'Amérique avait le blues. À la crise économique et financière s'ajoutait une crise morale, peut-être encore plus profonde. Guantanamo et Abou Ghraib étaient devenus des noms familiers pour la majorité des Américains. Chaque jour, des avions-cargos de l'US Air Force débarquaient avec en leur sein les cercueils de jeunes Américains tombés au combat dans une obscure vallée afghane ou dans les recoins d'une ville irakienne. À peine sortis de l'adolescence, nombreux étaient les soldats à revenir amputés ou victimes de syndromes post-traumatiques.

Quelques années auparavant, ils avaient quitté une Amérique qui faisait bloc derrière ceux qui allaient venger les victimes du 11 Septembre. Ils étaient de retour dans un pays où dominait une immense lassitude à l'égard de guerres dont on ne voyait plus le sens. Pourquoi dépenser des milliards pour porter la démocratie dans des contrées inconnues alors que des dizaines de millions d'Américains n'arrivaient même pas à se soigner et à vivre décemment? Le temps n'était plus à la célébration de ceux qui étaient partis combattre. La nation américaine voulait passer à autre chose.

Sur le plan politique, la fin de la présidence de George W. Bush ressemblait à un long chemin de croix. Le déclin de l'influence des néoconservateurs symbolisait cette fin de règne.

Il y avait désormais à travers les États-Unis une forme de colère et de repli sur soi dont des amis me disaient qu'elle leur rappelait l'ère de contestations qu'avait connue l'Amérique au moment du Vietnam. À cette colère s'ajoutait la détresse économique et sociale qui résultait de la crise. Dans un monde en proie à de profondes mutations, le peuple américain voulait que ses dirigeants se concentrent désormais sur des problématiques de politique intérieure.

En janvier 2008, le tableau était donc le suivant : une atmosphère de fin de règne à Washington, une société parcourue par les tensions sociales et ethniques et une population de plus en plus isolationniste. Au milieu de tout cela, la Maison-Blanche semblait promise à Hillary Clinton. Bref, tous les ingrédients qui allaient porter Trump au pouvoir huit ans plus tard étaient déjà présents. Sauf que l'Amérique fit alors le choix d'un homme qui était son exact opposé...

Un jeune sénateur du nom d'Obama

Comme tous les jeunes stagiaires débarquant à Washington, ma première préoccupation était de trouver un logement. Étant donné le prix de l'immobilier dans la capitale américaine, cela n'était pas une mince affaire. Heureusement pour moi, je pus compter au départ sur la gentillesse de Vincent.

Jeune économiste à l'ambassade de France, il me proposa de m'héberger les premières nuits dans le sous-sol qu'il louait. Là où d'autres se réveillent au son des oiseaux ou de la musique, Vincent allumait à l'aube MSNBC, la chaîne d'information économique. Il suivait frénétiquement chaque soubresaut de la crise financière. Au bout d'un mois, au fait des dernières évolutions de la politique monétaire de la Fed et sentant surtout que la patience des propriétaires de mon ami était mise à rude épreuve, j'accélérai les recherches.

Tout était hors de prix. Je tombai finalement sur une annonce pour une chambre dans une maison de Georgetown à un prix raisonnable. L'homme qui m'ouvrit la porte était un ancien marine aussi gracieux que Clint Eastwood dans *L'Inspecteur Harry*. La décoration était kitsch, la chambre toute petite mais je n'avais de toute façon pas le choix. Afin d'obtenir une légère ristourne, je m'engageai à promener quotidiennement ses deux dogues. Ceux qui savent combien je suis à l'aise avec les chiens comprendront combien ma situation financière était alors délicate. Je devais repasser le lendemain pour signer le bail.

Le matin suivant, je reçus l'appel d'un numéro inconnu. Au bout du fil, une dame âgée dont je compris qu'elle avait trouvé mes coordonnées sur Craigslist, un site Internet où j'avais posté une annonce pour trouver un logement. Je n'avais rien à perdre et décidai d'aller voir le logement qu'elle mettait en location.

La demeure était superbe. La dame qui m'accueillit était une petite femme âgée d'origine asiatique. En 1950, elle avait fui la Corée au moment de la guerre et avait construit sa vie aux États-Unis. Elle me fit visiter les lieux. Une grande chambre jouxtait une belle salle de bains et un petit bureau. J'étais un peu gêné. « Madame, votre maison est superbe mais il y a probablement un malentendu. Je suis stagiaire et je n'ai pas les moyens de louer cet endroit. » Elle me regarda en souriant. « Mon mari et moi sommes âgés. Nos deux filles ont quitté le foyer familial et nous voulons juste avoir une présence au premier étage de la maison. Cela nous rassurera. Pour l'argent, ne vous en faites pas. Vous paierez ce que vous pouvez payer. »

Adieu Clint Eastwood et les dogues ! J'étais désormais prêt à découvrir la capitale américaine et à y profiter de chaque instant.

Alors que beaucoup de mes amis ne juraient que par New York, je rêvais depuis longtemps de partir à Washington. Si elle est le terrain de jeu favori des machiavels des temps modernes, la capitale américaine est aussi cette ville qui attire des diplomates, des journalistes, des chercheurs et des intellectuels du monde entier. Une cité où l'on croise des femmes et des hommes qui veulent littéralement changer le monde. Dans les bars et soirées que j'allais écumer au cours de mes années à Washington, il m'est souvent arrivé d'apprendre que la personne avec laquelle j'avais pris quelques shots ou trinqué dans un appartement miteux était en fait un conseiller du président, un journaliste vedette de CNN, un grand spécialiste du Moyen-Orient ou une star montante du Congrès. Washington est une ville qui transpire la politique. Une ville où la politique étrangère est la principale industrie. Pour ceux qui ne s'y intéressent pas, la capitale américaine est impénétrable. Pour quelqu'un comme moi, elle est un véritable paradis.

Durant les huit mois qui suivirent, je passai mon temps à parcourir les couloirs du Congrès et des think tanks de Washington. Brookings, American Enterprise Institute, German Marshall Fund, Atlantic Council, Carnegie..., tous ces think tanks qui demeurent obscurs pour le grand public devinrent mes terrains de jeu. J'y voyais passer les leaders de la planète, les plus grands diplomates et géopoliticiens. Ils ne faisaient pas attention au jeune homme, généralement assis au fond de la salle, qui prenait note de tout. Je me plongeais dans les écrits de Kissinger, Brzeziński et des autres grands maîtres de la diplomatie américaine. Je voulais tout comprendre des rouages de la capitale américaine.

De ces mois passés aux États-Unis en 2008, je retiens d'abord que, pour la première fois, j'ai ressenti ce qu'est l'espoir en politique. Jusque-là, la vie publique française ne m'avait pas donné cette opportunité. Trois ans plus tôt, j'avais même éprouvé une vraie tristesse lorsque mon pays avait dit non au traité établissant une Constitution pour l'Europe. Le soir du 29 mai 2005, alors que j'écoutais la radio dans ma chambre située sous les toits de l'internat du lycée Henri-IV, j'avais eu le sentiment que la France cessait d'aller de l'avant. Qu'elle commençait à se replier sur elle-même.

En 2008, la situation était loin d'être rose aux États-Unis. Pourtant, je découvrais un pays traversé par un immense espoir. Celui-ci était incarné par un jeune sénateur noir dont j'avais entendu prononcer le nom pour la première fois en 2004. À l'époque, un de mes professeurs de prépa m'avait donné à lire le discours prononcé à la convention démocrate par celui qui n'était encore qu'un jeune homme un peu raide tout juste élu sur les bancs du Congrès.

Quelques années plus tard, je voyais des foules immenses se presser aux meetings de ce professeur de droit constitutionnel qui avait passé une partie de sa jeunesse à aider les populations du South Side de Chicago. Cet homme, qui avait grandi en Indonésie et à Hawaï et dont toute l'histoire personnelle était le résultat de la rencontre de plusieurs cultures, redonnait foi dans l'Amérique à des familles qui n'y croyaient plus depuis longtemps. Des dizaines de millions d'Américains avaient soudain le sentiment qu'il existait un homme qui, de par son parcours personnel et par le message qu'il portait, pouvait construire un nouveau rêve américain.

L'enthousiasme qui régnait autour de sa campagne, ces millions d'Américains issus des minorités parmi lesquels beaucoup de Noirs qui s'inscrivaient pour la première fois sur les listes électorales, tout cela redonnait foi dans la politique. Pendant huit mois, je suivis chaque jour les hauts et les bas de la campagne de Barack Obama. Au cœur de cette aventure, il y a cependant un moment qui me marqua profondément.

Le 18 mars 2008, Barack Obama eut le courage de prononcer à Philadelphie un discours historique sur la question raciale. Cette question qui divise si profondément l'Amérique et éloigne ses citoyens les uns des autres, comme elle déchire tant d'autres sociétés. Depuis plusieurs jours, le jeune sénateur de l'Illinois était confronté à une polémique déclenchée par les propos tenus par son ancien pasteur. Jeremiah Wright avait dénoncé en des termes violents la discrimination envers les Noirs d'Amérique. Alors qu'Obama était devenu plus qu'un simple prétendant à la présidence, nombreux étaient les commentateurs politiques qui pariaient alors que cette polémique allait briser sa campagne et anéantir ses rêves d'accéder à la Maison-Blanche. C'est à ce moment-là, dos au mur et acculé par tous ceux qui haïssaient ce qu'il représentait, que Barack Obama osa prononcer ce qui a probablement été son plus beau discours.

Une phrase me marqua. «J'ai décidé de me présenter à la présidence à ce moment de l'histoire, car je suis profondément convaincu que nous ne pourrons résoudre les défis de notre époque si nous ne les résolvons pas ensemble, si nous ne perfectionnons pas notre union en comprenant que nous pouvons avoir des histoires différentes, mais que nous entretenons les mêmes espoirs ; que nous pouvons avoir un aspect différent et ne pas tous venir du même endroit, mais que nous voulons tous aller dans la même direction, vers un meilleur avenir pour nos enfants et nos petits-enfants.»

À aucun moment Barack Obama ne chercha, durant ce discours comme tout au long de sa campagne, à jouer sur les haines ou les peurs qui animent l'Amérique. Il s'attacha toujours à tirer le meilleur de la nation américaine. Il fit confiance à ses compatriotes pour être capables de bâtir une Amérique plus juste et plus forte. En faisant ce pari, il créa une immense attente.

Neuf ans plus tard, je ne peux qu'être triste de constater qu'il a en partie déçu cet espoir. Certes, il n'a pas sombré dans le populisme. Certes, il a sorti l'Amérique de la crise et a tenté avec courage de mettre en œuvre un système d'assurance maladie plus juste et enfin digne de la première puissance du monde.

Mais l'élection en novembre 2016 d'un homme qui a joué sur les peurs et les bas instincts de l'Amérique montre qu'Obama n'a pas su redonner la confiance suffisante à la nation américaine pour éviter que celle-ci ne porte finalement au pouvoir un démagogue. Malgré des indicateurs macroéconomiques très bons, une baisse du taux de chômage et la mise en œuvre de mesures telles que l'Obamacare, il n'a pas su recréer le lien avec celles et ceux qui ont sombré dans la colère et le désespoir social. Il est vrai que beaucoup ne lui en ont jamais donné l'occasion. Obama, enfant du métissage et symbole de la méritocratie américaine, est tout ce que déteste une partie de l'Amérique.

Il serait néanmoins erroné et caricatural de ne voir dans ses opposants qu'un mélange de racistes et d'extrémistes. Il y avait également de nombreuses familles qui ont juste eu le sentiment qu'elles n'étaient pas écoutées, pas considérées. Cette population, c'était celle des laissés-pour-compte, des *left behind*. Des êtres promis à l'oubli. Obama n'a jamais su leur parler.

C'est finalement au moment où on les attendait le moins, alors même que l'on croyait que la logique électorale les empêcherait de se dresser face à la « coalition des minorités » courtisée par les démocrates, qu'ils ont renversé la table. Ils y sont parvenus à rebours de ce que prédisaient tous les commentateurs professionnels de la vie politique américaine — les fameux *pundits* — ainsi que les arrogants stratèges de la campagne d'Hillary. Ils y sont parvenus car ils étaient mus par cette conviction, comme beaucoup me l'ont répété lors de mes voyages à travers les régions les plus démunies du pays, qu'ils n'avaient de toute façon « plus rien à perdre ».

Diplomate au service de l'Union européenne

Je reviens m'installer à Washington en septembre 2015. Je viens d'être nommé conseiller politique de l'ambassadeur de l'Union européenne aux États-Unis. Dans ces fonctions, je suis officiellement en charge du portefeuille « affaires multilatérales et droits de l'homme ». Je vais vite comprendre que derrière cette formule un peu obscure se cache en fait un poste passionnant qui va me permettre de travailler sur une variété très large de dossiers.

Au cours des années qui vont suivre, je vais être amené à défendre à Washington les positions de l'UE sur des sujets aussi divers que la crise en Syrie, la situation des droits de l'homme à Cuba ou la fermeture de Guantanamo. Je négocierai avec l'administration américaine pour renforcer notre coopération en termes d'aide humanitaire en Afrique subsaharienne ou au Yémen et dans le champ des droits de l'homme en Birmanie ou en Égypte. Je travaillerai main dans la main avec des activistes et des ONG sur des problèmes de politique intérieure américaine tels que la question des violences policières ou celle des discriminations à l'encontre de la communauté LGBT. La crise migratoire et le sujet « peine de mort » viendront également s'ajouter bientôt aux dossiers dont je suis chargé.

Bref, c'est le début pour moi d'une aventure fabuleuse au sein d'un jeune service diplomatique dans lequel tout est à construire. Depuis mon adolescence, je rêvais d'être diplomate. Je peux désormais le faire au service de l'Union européenne, le projet politique qui m'est le plus cher.

Créé en décembre 2010 à la suite de l'entrée en vigueur du traité de Lisbonne un an plus tôt, le Service européen pour l'action extérieure — SEAE — est le service diplomatique de l'Union européenne. Ce « Quai d'Orsay européen », peu connu de nos concitoyens, est aujourd'hui présent dans la quasi-totalité des pays du monde. Dans presque chaque capitale, une délégation de l'Union européenne joue le rôle d'ambassade de l'Europe.

Le SEAE est dirigé depuis Bruxelles par une haute représentante de l'Union pour les affaires étrangères et la politique de sécurité. Là encore, pour ménager les susceptibilités des États membres, ce terme technocratique a été préféré à celui de « ministre des Affaires étrangères de l'UE ». Jusqu'à présent, ce sont deux femmes qui se sont succédé dans ces fonctions. La première fut une lord britannique du nom de Catherine Ashton. Elle fut ensuite remplacée par Federica Mogherini, une Italienne qui avait été l'éphémère ministre des Affaires étrangères du gouvernement de Matteo Renzi. Sous son impulsion, la diplomatie européenne a encore renforcé son influence.

À Washington, la délégation de l'Union européenne occupe un immeuble moderne à l'intersection de K Street et de la 22e Rue. Dans celui-ci, on retrouve les bureaux de représentation du Parlement européen, d'Europol et de la Banque centrale européenne. Néanmoins, le cœur du réacteur est la délégation de l'UE, qui était, lors de ma présence, dirigée par l'ambassadeur David O'Sullivan.

Avec Catherine Ashton et le diplomate français Pierre Vimont, il fait partie du trio qui a mis sur pied le SEAE. Après avoir occupé tous les postes les plus prestigieux de la Commission européenne, David O'Sullivan, qui est de nationalité irlandaise, a été nommé à Washington un an avant que je n'arrive. Au cours des mois et années suivants, j'allais être plus d'une fois impressionné par sa maîtrise des arcanes de Bruxelles, sa capacité de travail remarquable et sa foi inébranlable dans le projet européen. Dans son vaste bureau, situé au dixième étage de la délégation et doté d'une vue superbe sur Washington, les Mémoires de Jacques Delors sont en bonne place pour rappeler l'héritage intellectuel dans lequel il souhaite s'inscrire.

À Washington, la délégation regroupe une centaine de personnes originaires de tous les pays d'Europe. En tant que conseiller de l'ambassadeur, je suis rattaché à la section politique qui, au sein des délégations de l'Union européenne, joue le rôle assigné aux chancelleries dans les autres ambassades.

Dès les premiers jours, je comprends qu'il y a une règle qui prime sur toutes les autres : nous sommes tous là pour servir en premier lieu l'Europe. Les diplomates qui m'entourent sont allemand, tchèque, italien, polonais, grec, belge, espagnol ou suédois. Mais il ne viendrait à l'esprit d'aucun d'entre eux de faire passer les intérêts de son pays d'origine avant ceux de l'Union européenne.

Je suis également frappé par la qualité des femmes et

des hommes qui travaillent à mes côtés. Beaucoup ont été, dans les différents pays européens, les conseillers les plus proches de leur ministre des Affaires étrangères ou de leur chef d'État. À quelques mètres de mon bureau, un jeune et brillant diplomate allemand, ancien conseiller de Merkel, s'occupe des questions de défense. Un des anciens bras droits de Radosław Sikorski, charismatique ministre des Affaires étrangères polonais, est en charge des Affaires asiatiques. Un peu plus loin dans le couloir, une autre diplomate polonaise, tout aussi remarquable, s'occupe du Moyen-Orient. Et il y en a bien d'autres que je pourrais ajouter à cette liste. Alors que le Quai d'Orsay encourage encore trop peu ses diplomates à passer par les institutions européennes, les autres services diplomatiques nationaux ont compris l'importance d'envoyer leurs jeunes talents au sein du SEAE.

Avant d'arriver à Washington, j'avais l'intuition que l'avenir de notre diplomatie passerait par l'Europe. Mon expérience de diplomate européen ne fera que renforcer cette conviction. Si nous voulons peser dans le monde de demain, nous ne pourrons le faire que par une diplomatie européenne plus forte et plus unifiée. Dans cette perspective, le SEAE a un rôle clé à jouer. Alors, même s'il a encore beaucoup de progrès à faire et s'il commet régulièrement des erreurs de jeunesse, les dirigeants français ne devraient surtout pas le sous-estimer comme ils ont trop eu tendance à le faire par le passé.

Dans l'ensemble des délégations de l'Union européenne, c'est déjà devenu une habitude pour les diplomates des États membres de se retrouver chaque semaine dans des réunions présidées par les diplomates du SEAE.

Nous coordonnons alors nos positions, nous échangeons sur les principaux dossiers et nous élaborons ensemble des stratégies pour tenter de faire avancer les intérêts de l'Europe. Lorsque nos homologues américains, au Congrès, au Département d'État, au Pentagone ou à la Maison-Blanche, veulent échanger ou négocier, c'est de plus en plus par l'Union européenne qu'ils passent. Car, comme le sous-entendait déjà Henry Kissinger il y a bien longtemps, cela est plus simple pour eux d'avoir un seul interlocuteur au bout du fil.

Contrairement à ce que m'a dit un jour un ancien ministre des Affaires étrangères français, les délégations de l'Union européenne ne sont donc pas là pour être le caillou dans la chaussure des ambassades de la France ou des autres États membres. Une telle vision appartient au passé. Nous sommes déjà dans un monde où les délégations de l'Union européenne mettent chaque jour en œuvre sur le terrain la diplomatie européenne qui se dessine peu à peu. Et, quelles que soient les difficultés auxquelles l'Europe fera face et les tensions qui existent entre les pays membres, cette tendance ne fera que se renforcer dans les mois et années à venir. Parce que ce sera la seule manière pour l'Europe, et donc pour l'ensemble de nos concitoyens, de peser dans le monde de demain.

Le 13 novembre

Deux jours après mon arrivée à Washington, l'ambassadeur m'a convoqué dans son bureau. « Jérémie, tous les médias américains ne parlent plus de l'Europe que par le prisme de la crise des réfugiés. Il faut qu'un de mes conseillers s'occupe désormais de ce sujet. Ce sera vous. » Il ajoute : « Par ailleurs, pour faire face aux causes structurelles de la crise migratoire, il est indispensable que l'on renforce notre coopération avec les Américains en Afrique subsaharienne et au Moyen-Orient. Maison-Blanche, Congrès, Département d'État, Pentagone : utilisez le canal que vous considérerez le plus approprié. Mais je veux que vous avanciez très vite sur ce dossier. »

Il ne se passe en effet pas une journée sans que les médias européens et américains ne se fassent l'écho des masses de réfugiés cheminant à travers les Balkans avec l'espoir d'atteindre au plus vite l'Allemagne, la Suède ou le Royaume-Uni. Des photos de femmes et enfants échoués sur les plages européennes témoignent de la réalité insupportable d'une tragédie qui n'est que le symptôme de la misère et des guerres qui règnent dans les pays voisins de l'Europe.

Plus que tout autre problème, la crise des réfugiés met en péril l'avenir de l'Union européenne. Non seulement elle souligne l'impuissance de l'Europe à mettre fin aux tragédies humanitaires et géopolitiques dont sont victimes ses régions limitrophes, mais cette crise ronge également notre tissu social. Dans chaque pays, elle constitue un profond catalyseur pour les partis populistes et europhobes. Elle renforce l'impression d'une Europe sans frontières, ouverte à tous les vents et donc à tous les périls. C'est donc une double menace, externe et interne, à laquelle l'Union fait désormais face.

Le régime de Bachar el-Assad, la Russie de Vladimir Poutine et la Turquie de Recep Erdoğan l'ont parfaitement compris. En nourrissant par leurs politiques les flux de migrants fuyant vers l'Europe, ils mettent chaque jour un peu plus la pression sur l'Union.

Le ballet des égoïsmes nationaux ne fait rien pour arranger la situation. Les États européens se déchirent entre eux sur la réponse à apporter à cette crise. Je le perçois moi-même directement lorsque je réunis chaque semaine mes homologues des vingt-huit États membres. Je me rends alors compte des différences culturelles et politiques qui existent entre nous. Lorsque je rencontre les ambassadeurs des pays du groupe de Visegrád, réunissant la Pologne, la Hongrie, la Slovaquie et la République tchèque, ils ne cachent plus leur hostilité à l'égard des politiques mises en œuvre par Bruxelles.

Alors que l'Union européenne est déjà fragilisée par la crise de la zone euro et la guerre en Ukraine, la crise migratoire menace d'être la crise de trop.

À Washington, je reçois chaque jour des ONG et des médias qui reprochent à l'Europe de ne pas accueillir plus de migrants. Le *New York Times* et les médias libéraux ne manquent pas une occasion de blâmer ces « nantis d'Européens » pour « leur manque de compassion » et leur inefficacité dans la gestion de cette crise.

L'administration Obama n'est pas non plus la dernière pour nous donner de grandes leçons de morale. En privé ou publiquement. Elle nous reproche pêle-mêle de manquer d'humanité, de ne pas ouvrir en grand les frontières de l'Europe et de ne pas faire assez pour intégrer les migrants. Mais quand nous lui demandons si les États-Unis souhaitent eux-mêmes accueillir des réfugiés sur leur sol, les équipes du président Obama nous font comprendre que la crise migratoire est d'abord une crise européenne. Alors que plus de 1600000 migrants sont entrés illégalement en Europe en 2015, les États-Unis ont daigné accueillir à peine plus de 2000 réfugiés syriens durant la même période... Et encore, ceux-ci n'ont été admis sur le sol américain qu'après plus d'un an de procédures afin de vérifier qu'aucun n'était susceptible de présenter la moindre menace.

Quant au Congrès, dominé par les républicains, il ne regarde cette crise que sous le prisme sécuritaire. Un jour que j'accompagne l'ambassadeur à la Chambre des représentants où il est auditionné sur la réponse de l'Union européenne à la crise migratoire, les élus qui nous font face ne cachent pas le fait que, pour eux, les réfugiés doivent être traités comme des terroristes en puissance. La seule question qui les intéresse est donc de savoir s'il faut durcir les conditions d'entrée des voyageurs venant d'Europe.

C'est dans ce contexte que Dimítris Avramópoulos se rend en visite officielle à Washington. Politicien grec et ancien maire d'Athènes, il est le commissaire européen en charge des questions migratoires et de la lutte contre le terrorisme. Une sorte de ministre de l'Intérieur européen. Alors que beaucoup de commissaires européens et hauts responsables bruxellois, au premier rang desquels la patronne de la diplomatie européenne Federica Mogherini, sont reconnus pour leur gentillesse et leur simplicité, ce ne sont pas les termes qui viennent immédiatement à l'esprit lors des visites d'Avramópoulos et de son cabinet.

Ce jour-là, nous avons enchaîné les réunions au Département d'État, au Pentagone et au Congrès pour tenter, malgré le contexte difficile, de convaincre les autorités américaines de renforcer notre coopération. Dans quarante minutes, il sera temps de partir pour la Maison-Blanche où une rencontre est prévue avec Lisa Monaco, la conseillère du président Obama en charge du contre-terrorisme.

Mais avant, dans une petite salle de la délégation, nous avons décidé d'organiser un briefing avec les principaux médias américains pour leur expliquer la réalité de l'action de l'Union européenne sur le terrain. Une dizaine de journalistes nous font face. Je suis assis à côté du commissaire. Avramópoulos commence par un bref exposé sur sa visite aux États-Unis et sur la réponse de l'Europe face à la crise des réfugiés.

Les questions du *Washington Post*, du *Los Angeles Times* et de NPR, le « Radio France américain », s'enchaînent. Soudain, un journaliste du *New York Times* interpelle le commissaire : « L'Europe semble aujourd'hui submergée par la crise des réfugiés. Les frontières extérieures de l'Union sont poreuses et n'importe qui peut passer sans difficultés d'un pays à l'autre à l'intérieur de l'espace Schengen. Dans ce contexte, n'envisagez-vous pas la possibilité qu'un terroriste de Daech se faufile demain au milieu des flux de réfugiés et commette un attentat sur le sol européen ? »

Il vient de mettre le doigt sur la menace qui nous obsède tous. Avramópoulos prend quelques secondes de réflexion pour répondre : « Malheureusement, Daech ou toute autre organisation terroriste n'a pas besoin d'infiltrer les flux de migrants pour commettre des attentats sur le sol européen. Il y a déjà des centaines de djihadistes en puissance prêts à commettre des attaques à l'intérieur de nos frontières. Ils vivent au cœur même de nos capitales européennes, où beaucoup d'entre eux ont d'ailleurs grandi. Dès lors, pourquoi ces groupes terroristes prendraient le risque d'envoyer leurs djihadistes suivre le voyage périlleux et épuisant des réfugiés ? »

Alors que le commissaire européen pense avoir mis fin à l'échange, le journaliste reprend la parole. « Certes, monsieur le commissaire, c'est une réponse qui apparaît pleine de bon sens. Mais imaginons néanmoins un instant que ce scénario se produise. Ne pensez-vous pas qu'un tel drame conduirait l'opinion publique européenne à se retourner massivement contre l'arrivée de réfugiés supplémentaires ? Ne serait-il pas un choc tel que les Européens appelleraient immédiatement à un rétablissement des frontières nationales ? »

La chef de cabinet du commissaire surgit alors dans la salle. Sa froideur est légendaire, mais à cet instant elle semble troublée. Elle glisse un petit papier devant le commissaire. Sur celui-ci est indiqué que la réunion à la Maison-Blanche avec Lisa Monaco est annulée.

Avramópoulos me regarde d'un air surpris. Beaucoup de sujets majeurs dans le domaine de la lutte contre le terrorisme devaient être abordés lors de cette réunion. Elle est une des raisons principales de la venue du commissaire à Washington. Alors que le journaliste du *New York Times* relance Avramópoulos afin d'obtenir une réponse à sa question, un autre papier lui est transmis. Il prend le temps de le lire attentivement. Puis, le commissaire dit brutalement: « La conférence de presse est terminée. Je viens d'apprendre que des fusillades sont en cours à Paris. »

Nous sommes le 13 novembre 2015. Quelques heures plus tard, nous apprendrons que plusieurs des terroristes venus de Syrie ont transité par l'île grecque de Lesbos en se faisant passer pour des réfugiés. Soudain, l'Union européenne comprend que c'est sa survie même qui est en jeu: il est désormais urgent qu'elle se dote enfin de frontières dignes de ce nom et des moyens qui lui permettront d'assurer une meilleure protection de ses citoyens.

«Je n'ai plus rien à perdre»

Je me rends aujourd'hui à un meeting de Trump. Hagerstown est une petite ville de quarante mille habitants à la frontière du Maryland et de la Pennsylvanie. Pendant longtemps, la ville et ses banlieues ont prospéré grâce à l'industrie textile. Mais à partir du début des années 1980, les fermetures d'usines se sont multipliées. Les commerces du centre-ville ont fermé leurs portes les uns après les autres. L'héroïne et le crack ont fait leur apparition. Bref, Hagerstown a connu le même destin que des centaines de petites villes américaines.

Washington n'est qu'à une heure et demie de route mais j'arrive dans une autre Amérique. Une Amérique blanche qui vit dans la nostalgie d'un passé plus ou moins idéalisé. Une Amérique qui se fiche des derniers bruits de couloir du Congrès ou des rumeurs émanant de la Maison-Blanche. Une Amérique qui veut, avant tout, des jobs moins précaires et qui se demande comment mettre fin à la crise des opiacés qui ravage des communautés entières. Ces drogues, auxquelles plus de deux millions et demi d'Américains sont dépendants, causent chaque année aux États-Unis plus de morts par overdose que les armes à feu et les accidents de voiture cumulés.

C'est dans le petit aéroport d'Hagerstown que Trump a décidé de tenir son meeting. Officiellement, celui-ci s'inscrit dans le cadre de la campagne des primaires républicaines du Maryland qui se tiendront dans quelques jours. Dans les faits, Trump sait qu'il a déjà gagné l'investiture républicaine. Il est mathématiquement quasi impossible pour tout autre candidat de le rattraper. Le choix du lieu, à la frontière de deux États, est donc stratégique. Trump se sert de ce meeting pour attirer de nombreux électeurs de Pennsylvanie, un État clé dans la course à la Maison-Blanche.

Je me rends sur place plusieurs heures avant le début officiel du meeting. Je veux sentir l'atmosphère qui y règne. Lorsque j'arrive, un vendeur afro-américain vend des T-shirts sur lesquels est écrit « *Trump that Bitch* », « élégant » jeu de mots qui peut se traduire par « Brise cette salope ». Des grands-parents en achètent pour leurs petits-enfants qui les accompagnent. Ils ont considéré que ce message était sans doute plus approprié que l'inscription « *Hillary Sucks But Less Than Monica* ». Sage décision...

Après une succession de contrôles de sécurité, je peux enfin pénétrer dans l'immense entrepôt où doit se dérouler le meeting. Plusieurs milliers de personnes sont déjà présentes. Je vois autour de moi de nombreuses familles où les trois générations sont représentées. Des enfants courent un peu partout. À l'exception de quelques militants excités, qui semblent tout droit sortis d'un rassemblement du Ku Klux Klan et vocifèrent des slogans haineux, l'ambiance est bon enfant. Je remarque juste qu'il y a très peu de Noirs et d'Hispaniques.

Je fais la connaissance d'un père de famille. Il travaille comme manutentionnaire dans une petite entreprise du comté et son épouse occupe un poste de secrétaire. Ils sont accompagnés de leurs quatre enfants. Le plus âgé a dix-huit ans et la plus petite quatre ans. « Mon père était syndicaliste, me dit-il. Dans le passé, j'ai voté démocrate et républicain. Le résultat, c'est que tous ces gens que l'on a élus n'ont rien fait pour nous. La vie est de plus en plus dure. Je n'arrive plus à payer les factures. Et je ne sais même pas comment je vais financer les études de mes enfants. » Il ajoute : « On me parle de mondialisation et d'uberisation de l'économie. Mais ça ne veut rien dire pour moi ! Ah si, juste une chose : plus de précarité. »

Son épouse prend alors la parole : « Nos grands-parents et nos parents ont travaillé pour la même entreprise toute leur vie. Ils faisaient carrière et il y avait le sentiment d'appartenance à une communauté. Aujourd'hui, même en cumulant deux ou trois emplois, nous n'y arrivons plus. »

L'ambiance devient de plus en plus électrique. Trump se fait attendre. Des vétérans montent sur scène et affirment que Trump sera le seul à même d'être un bon commandant en chef. Applaudissements polis de la foule. Les enfants continuent de courir dans tous les sens. Il y a désormais près de cinq mille personnes dans l'immense entrepôt situé le long d'une des pistes de l'aéroport.

Un groupe de jeunes s'approchent de moi. Un garçon d'à peine vingt ans m'interpelle :

« Tu viens d'où ?

— Je suis français.

— T'es journaliste ?

— Non, diplomate.

— T'es là pour quoi ? Pour espionner ?

— Je veux juste écouter Trump et essayer de mieux comprendre pourquoi il suscite un tel enthousiasme. Je suis là à titre personnel.

— Nous, on va te le dire. Trump, c'est le seul qui dit la vérité et qui nous défend. Y en a marre des politiques de discrimination positive dans ce pays. Les Noirs, les Latinos, ils ont tout. Nous, comme on est des Blancs, on nous donne rien. Nos places à l'université sont prises par des gars qui ont de moins bonnes notes que nous. Tu trouves ça normal ? »

Un de ses copains enchaîne.

« Je sais bien qu'en Europe, vous aimez pas Trump. Vous nous prenez pour des racistes et des idiots. Mais le problème, c'est que vous comprenez pas l'Amérique. Il faut qu'on ait un leader qui rétablisse l'ordre. Et qu'on se fasse respecter aussi à l'étranger. »

Et avant même que j'aie eu le temps de répondre quoi que ce soit, il ajoute : « Plutôt que de nous donner des leçons, vous feriez mieux de régler les problèmes chez vous. Il paraît que c'est pas sûr du tout chez vous. Je connais des gens qui sont allés en France et ils m'ont dit que vous aviez plein d'Arabes et d'immigrés. »

Une clameur parcourt la foule. Une certaine nervosité s'empare des services de sécurité. Les gens montrent du doigt le ciel. Derrière l'immense drapeau américain qui surplombe la scène, je distingue un hélicoptère noir qui s'approche. Tout le monde a sorti son téléphone portable pour filmer la scène. Une musique assourdissante de blockbuster hollywoodien est crachée par les immenses enceintes placées aux quatre coins de l'entrepôt. L'hélicoptère est désormais assez proche pour que l'on distingue un immense « TRUMP » sur l'arrière de l'appareil.

La foule crie « *U.S.A! U.S.A!* ». C'est ce moment que choisit le candidat pour sortir de son hélicoptère sous les vivats de la foule. Il est coiffé d'une casquette blanche sur laquelle est inscrit en lettres capitales « MAKE AMERICA GREAT AGAIN ».

Débute alors un discours de plus d'une heure qui me sidère par son absence totale de structure. Rarement le terme « logorrhée » ne m'a semblé aussi approprié. J'ai en face de moi quelqu'un qui donne le sentiment de se lancer dans une grande diatribe improvisée dont il ne sait lui-même pas où elle va le mener. Mais qui, au final, parvient toujours à retomber sur ses pattes.

Les quelques lignes préparées par ses conseillers sur le déclin industriel du Maryland lui servent d'amorce pour annoncer devant une foule chauffée à blanc qu'il va construire un mur à la frontière mexicaine. La foule crie alors en chœur « *The Wall! The Wall! The Wall!* ».

Puis Trump se lance dans une attaque sans fin de ses opposants, républicains et démocrates. Il rappelle à cette foule de supporters, qui se considèrent comme les laissés-pour-compte de l'Amérique, que lui-même a été méprisé par l'élite politique. Il insiste sur le fait que les mêmes qui le sous-estimaient au début de la campagne se rallient désormais à lui au fur et à mesure de ses victoires. On sent qu'il en fait une revanche personnelle sur le destin. Il jouit de voir l'establishment, qui, pendant longtemps, ne l'a pas considéré comme l'un des siens, se prosterner désormais devant lui. Je me rappelle alors la phrase d'une amie journaliste qui m'avait dit « Jérémie, n'oublie jamais que Trump se considère comme un outsider. Son père l'a élevé en lui rappelant sans cesse que leur famille, malgré sa richesse, ne faisait pas partie de la haute société new-yorkaise. Et que sa vie serait donc une quête permanente pour prendre sa revanche sociale sur ceux qui avaient dédaigné son clan ».

C'est en effet cela qui plaît à la foule. Un homme debout à côté de moi, qui porte un T-shirt un peu sale et est marqué par le poids des années, me dit en me montrant Trump : « Trump, il est comme nous. Regardez-le, il est en colère ! C'est pas un de ces parasites de Washington qui ne sont que des politiciens professionnels. Lui, il a fait fortune et il fait de la politique pour nous aider. »

Le fait que Trump soit milliardaire n'est pas un problème. Au contraire, Trump en a fait une force. Dans un pays qui valorise la réussite professionnelle et matérielle, il ne manque pas une occasion de rappeler ses succès d'homme d'affaires. Pour lui, sa réussite est devenue le socle d'un de ses arguments les plus puissants, qui pourrait être résumé ainsi : « Si j'ai fait fortune, c'est que je comprends les règles du jeu actuel et que j'en maîtrise les codes. Mais plutôt que de les garder pour moi, comme le reste de ceux qui vous dirigent, je vais mettre mon expertise à votre service, vous les oubliés de l'Amérique. »

Je demande alors à mon interlocuteur s'il croit dans toutes les propositions du candidat. Il s'esclaffe. Cet homme, qui quelques minutes auparavant, acclamait Trump quand il parlait de sa volonté d'édifier un mur à la frontière mexicaine, m'explique : « Mais non, pas du tout. On sait bien que ce mur ne sert à rien. On a 11 millions d'immigrants illégaux aux États-Unis. Vous croyez quoi ? Qu'on va les chasser les uns après les autres ? On sait bien que ce sera pas le cas.

Et puis moi, mes voisins sont des clandestins dominicains et je m'entends bien avec eux. Mais c'est pas ça la question. Moi, je vais voter Trump parce qu'une fois au pouvoir, il va mettre un grand coup de pied dans la fourmilière. Il va virer ce ramassis d'incapables qui nous gouvernent. Et c'est ça que je veux parce que, comme tous les gens ici, je n'ai plus rien à perdre. »

C'est alors qu'arrive un des grands classiques des meetings de Trump : le moment où il fait huer les médias. Ceux-ci sont « parqués » sur une petite tribune située au milieu de l'entrepôt. Au moment où la foule se tourne vers eux en les insultant et en les conspuant, ils ne semblent pas plus déstabilisés que cela. C'est désormais devenu un rituel dans les rassemblements du candidat républicain.

Puis, après avoir rappelé qu'il serait celui qui ferait gagner à nouveau l'Amérique, il conclut son discours par un dernier « *We will make America great again !* ».

Sous les acclamations de la foule, ravie par ce spectacle, il sort de scène et prend place dans son hélicoptère. Quelques secondes plus tard, il s'envole direction la Trump Tower au cœur de Manhattan.

Je parviens à m'échapper de l'entrepôt. Le temps est magnifique en cette fin d'après-midi. Les familles et supporters de Trump repartent calmement chez eux. Quelques militants démocrates crient des slogans anti-Trump à l'extérieur du meeting, mais à part les journalistes personne ne leur prête attention.

Alors que je suis sur la route qui me ramène à Washington, je repense à toutes les discussions que j'ai pu avoir au cours de cette journée. Je ne sais pas si Trump deviendra président. Mais je suis désormais convaincu qu'il incarne quelque chose qui résonne pour une grande partie de l'Amérique.

Système D

Entre l'élection de Donald Trump et le moment de son entrée officielle à la Maison-Blanche, un peu plus de deux mois allaient s'écouler. Cette période appelée *transition* existe afin de permettre une transmission souple des pouvoirs entre deux présidents. Contrairement à la France où les hauts fonctionnaires restent en place quels que soient les changements de majorité, des milliers de postes à hautes responsabilités sont à pourvoir dans l'administration fédérale à chaque changement de président. C'est ce que l'on appelle le *spoils system.*

Parmi les milliers de nouveaux membres nommés par le président élu, un grand nombre doivent être confirmés par le Sénat. Cette contrainte implique que six mois après l'entrée à la Maison-Blanche d'un nouveau président, bien des postes ne sont pas encore pourvus. Cela est d'autant plus vrai dans le cas de Trump qui, ne pensant lui-même pas être élu, n'avait pas prévu tout ce que cela entraînerait.

Mais nous n'en étions pas encore là. Au lendemain de l'élection de Trump, mon but était clair. Il me fallait désormais tisser le maximum de liens avec les futurs membres de son administration. Je devais savoir qui serait aux commandes et tenter d'anticiper les prochaines évolutions de la politique étrangère américaine.

Comme l'immense majorité des grandes chancelleries, le Service européen pour l'action extérieure n'avait pas vu venir la défaite de Clinton. Or, les diplomates ne craignent rien de moins que l'incertitude. Nous étions donc engagés dans une course contre la montre pour établir des relations étroites avec celles et ceux qui dirigeraient demain l'Amérique.

La situation était d'autant plus critique pour l'Union européenne que Trump n'avait pas caché sa méfiance à l'égard du système multilatéral. Durant sa campagne, il s'était régulièrement affiché auprès de Nigel Farage, l'inénarrable leader d'extrême droite britannique qui avait été un des plus fervents promoteurs du Brexit. Alors que l'Europe venait de traverser de multiples crises internes, nous ne pouvions pas nous permettre de couper les liens avec la puissance qui avait été notre alliée la plus fidèle.

Cette période fut d'une intensité rare mais surtout fascinante pour le jeune diplomate que j'étais. Au soir du 8 novembre 2016, les codes traditionnels de Washington avaient soudainement explosé. Les ambassades étaient parties dans une course effrénée à qui parviendrait à approcher le plus rapidement possible la sphère Trump.

Mais l'entourage du nouveau président n'était lui-même pas structuré. Il était composé d'un attelage hétéroclite de personnages hors système. On y retrouvait aussi bien des magnats de l'immobilier que des intermédiaires du Moyen-Orient au passé sulfureux ou d'obscurs diplomates mis sur la touche dans les administrations précédentes. Lorsqu'il fut connu que Shinzō Abe, le Premier ministre japonais, était parvenu à établir un lien direct avec Trump via un golfeur proche du président américain, il ne fut pas un ambassadeur qui ne songea à rechercher dans ses contacts un golfeur connu... Bref, dans ce monde si policé qu'est généralement Washington, le système D était de retour. Et cela était une excellente nouvelle pour un jeune diplomate prêt à glaner la moindre information.

Tard le soir, lorsque je retrouvais des amis qui étaient reporters au *Washington Post*, sur CNN ou pour de grands journaux européens, je me disais alors que mon travail n'était pas si différent du leur. Comme eux, il me fallait des sources. Une des principales difficultés était d'ailleurs d'éviter de perdre trop de temps avec des personnages qui cherchaient à surfer sur la vague. Dans les lobbys des hôtels de Washington, ils étaient alors nombreux à prétendre avoir l'oreille du nouveau président.

Durant cette période, une de mes sources les plus intéressantes fut une femme avec laquelle j'avais tissé des liens bien avant l'élection de Donald Trump. Près d'un an auparavant, j'avais croisé Elizabeth dans les couloirs d'une conférence sur la politique américaine au Moyen-Orient. À l'époque, personne ne s'intéressait à elle.

Jeune, elle avait connu une ascension météorique et avait occupé des postes importants sous plusieurs présidents républicains. Mais elle avait ensuite misé sur les mauvais chevaux et conseillé des candidats qui avaient tous été balayés par Obama. Depuis une dizaine d'années, elle faisait vivoter un cabinet de conseil dans la banlieue de Washington. Loin des grandes sphères de la diplomatie et de la lumière du pouvoir. La capitale américaine est sans pitié pour celles et ceux qui ne savent pas se placer au bon endroit au bon moment.

Le jour de notre première rencontre, elle avait été invitée à participer à un panel organisé par un des grands think tanks de Washington. Un des invités stars du côté républicain avait décliné au dernier moment. Les organisateurs s'étaient donc mis en quête d'une solution de rechange et avaient pris ce qu'ils avaient sous la main. Armée de son brushing blond peroxydé et de toute sa candeur, elle avait semblé bien seule sur scène face aux caciques mâles de l'establishment de Washington. Régulièrement huée par une audience très pro-démocrate, elle avait soutenu ses positions avec passion sous les regards moqueurs du modérateur et des autres intervenants.

Après ce panel, alors qu'elle était toute seule près du buffet attenant à la salle de conférence, j'étais allé la voir. Elle avait d'abord été surprise. Puis, peu à peu, nous nous étions lancés dans une grande discussion sur la politique d'Obama en Syrie. Dans les mois qui avaient suivi, nous nous étions régulièrement revus autour d'un café. Quoi que l'on puisse penser de ses opinions, il était clair qu'elle savait de quoi elle parlait. Elle avait des positions « rafraîchissantes » dans une capitale américaine où la bien-pensance règne en maître.

Dans les semaines précédant l'élection, nous avions échangé par SMS. Elle était désormais moins disponible. Même si ce n'était pas le candidat qu'elle soutenait au départ, elle s'était rapprochée de Trump. L'absence complète d'experts en politique étrangère compétents autour du candidat républicain avait offert une opportunité à Elizabeth. Avec toute l'énergie de celle qui avait eu le sentiment de trop souvent laisser passer son tour, elle s'était engouffrée dans la brèche. À défaut de gagner la confiance de Trump, elle le conseillait désormais quotidiennement.

Peu avant Noël, elle me proposa de nous retrouver dans un immeuble du centre de Washington donnant sur Farragut Square. Elle avait les traits tirés de celle qui dort peu, mais je la sentais heureuse. Elle était enfin au centre de l'action, là où elle rêvait d'être depuis tant d'années. Probablement pas avec le président qu'elle aurait voulu. Mais tant pis. Les échecs passés l'avaient rendue pragmatique.

Elle me le dit d'emblée: «Jérémie, j'ai désormais une double mission. Conseiller le président sur la politique étrangère, bref éviter qu'il ne fasse les erreurs colossales que les incapables qui l'entourent lui suggèrent. Et ensuite, décrypter auprès de personnes comme toi ce qui lui passe par la tête.»

Elle ne sous-estime pas le fait que la furie de tweets du futur locataire de la Maison-Blanche et les propos qu'il a tenus durant la campagne font plus que nous inquiéter. «Tout va bien se passer», me dit-elle comme si elle lisait dans mes pensées.

Je lui demande: «Tu fais référence à quoi quand tu parles d'erreurs colossales?» C'est le point de départ de deux heures de conversation au cours desquelles nous «redescendons» ensemble la plupart des dossiers chauds: Iran, Corée du Nord, conflit israélo-palestinien, Russie, relations sino-américaines et bien évidemment la vision de Trump sur l'OTAN et l'UE. Elle échange avec moi des propos tenus par Trump et les avis de ses différents conseillers. Bref, une mine d'informations. Elle est trop heureuse de me montrer qu'elle est désormais au cœur de la machine.

Une fois arrivé à la délégation, je m'enferme dans mon bureau et rédige un long mémo dans lequel je mets noir sur blanc tout ce qu'elle m'a dit. Je vais ensuite voir mon boss direct, un diplomate allemand expérimenté mais plutôt prudent qui, passé l'effarement de ce qu'il lit dans mon mémo, se demande s'il est bien raisonnable de l'envoyer tel quel. « Peut-être pourrions-nous l'édulcorer un peu », me suggère-t-il de manière insistante. « Tu sais, Jérémie, il ne sert à rien d'alerter Bruxelles inutilement. »

Certes, mais notre volonté persistante de ne pas nous alarmer nous a déjà empêchés de voir la réalité en face. Nous n'avions pas voulu voir l'élection de Trump. Il est hors de question que je reproduise la même erreur.

Je vais donc voir directement l'ambassadeur et lui soumets le mémo pour envoi comme télégramme diplomatique. Après un instant de réflexion, il me demande : « Es-tu certain de ta source ? » Je réponds par l'affirmative. « OK, tu peux le faire partir mais à une liste très limitée de personnes et sous canal hautement confidentiel. »

Alors que j'écris ces lignes, j'observe qu'Elizabeth m'avait dit vrai. Iran, Jérusalem, politique commerciale…, bref, sur presque tous les grands sujets de politique étrangère, les débuts de la présidence Trump ont validé ce qui était écrit dans le mémo.

Jour d'investiture

Je suis réveillé à l'aube par les sirènes des convois officiels qui descendent Connecticut Avenue à toute allure. À Washington, je me suis pourtant habitué à ces convois de SUV aux vitres teintées qui transportent les plus hauts responsables américains ou les chefs d'État en visite. Mais ce matin, leur manège semble ne pas devoir s'interrompre. En sortant de mon immeuble, qui est situé en face de l'hôtel Hilton où John Hinckley Jr. a tenté d'assassiner Ronald Reagan le 30 mars 1981, je suis frappé de voir des dizaines de bikers couverts de tatouages. Ils traversent fièrement la capitale en faisant pétarader leurs motos auxquelles est accroché le drapeau américain.

Arrivé à Dupont Circle quelques centaines de mètres plus bas, je croise de nombreuses familles tirées à quatre épingles. Les enfants portent des costumes trop grands pour eux tandis que leurs parents sont vêtus de leurs plus beaux habits. De la même manière que les bikers seraient probablement plus à l'aise dans les grandes étendues du Texas ou de l'Arizona, l'air un peu perdu et engoncé de ces familles montre clairement qu'elles ne sont pas de Washington.

L'espace d'une journée, la capitale américaine est submergée par des hommes et des femmes venus célébrer le président qu'ils viennent d'élire. Nous sommes le 20 janvier 2017 et Donald Trump s'apprête à entrer officiellement à la Maison-Blanche.

Dans le métro bondé qui m'amène au Capitole, je suis entouré de supporters de Trump venus de toute l'Amérique pour acclamer leur héros. Tout indique qu'un grand nombre d'entre eux ont peu de moyens. Au prix d'un effort financier important, ils sont venus à Washington pour vivre ce qu'ils considèrent comme un moment historique.

Après m'être extrait du métro et avoir franchi quelques barrages de police, je parviens à retrouver Helen. Nous nous sommes rencontrés près de deux ans auparavant à Austin, au Texas. Brillante diplomate britannique, elle a débuté sa carrière comme conseillère sur une base de l'OTAN en Afghanistan. Seule femme au milieu de centaines d'hommes suintant la testostérone, il ne lui avait fallu que quelques jours pour s'imposer. Son rôle était officiellement d'apporter une expertise diplomatique aux généraux. Elle avait vite compris qu'il lui faudrait dans les faits imposer ses propres vues si elle voulait être respectée. Après plusieurs postes et missions, qui l'avaient notamment menée au Darfour et en Sierra Leone, elle a été nommée à Washington. Au sein du service diplomatique britannique, le prestigieux Foreign and Commonwealth Office, elle est une des étoiles montantes.

Ce matin-là, nous sommes invités par nos homologues canadiens à suivre la cérémonie d'investiture depuis leur ambassade. Une réception très courue car c'est la seule représentation diplomatique qui se situe le long même du Capitole. La légende veut que ce privilège ait été accordé par les États-Unis à leurs voisins à la suite du rôle crucial que ces derniers avaient joué dans l'exfiltration hors d'Iran de six diplomates américains en janvier 1980. C'est cet épisode qui a inspiré à Ben Affleck son film *Argo*.

Dans la foule dense qui m'entoure, je retrouve de nombreux journalistes, diplomates et attachés militaires rayonnants dans leurs uniformes impeccables. Il y a également de nombreux conseillers du président Obama qui semblent porter sur leur visage toute la peine du monde. Pour beaucoup, ce 20 janvier marque le début d'une nouvelle vie qui se fera en dehors d'un pouvoir fédéral qu'ils ont servi au cours des dernières années.

Nombreux sont ceux qui, parmi les invités, ne semblent pas voir dans l'heure très matinale un obstacle au fait d'enchaîner les gin-tonics et les coupes de champagne. Pour se réchauffer, disent certains. Pour chasser leur humeur maussade, disent les autres.

La vérité est que nous sommes tous inquiets. Après les déclarations fracassantes et les dérapages qui ont émaillé sa campagne et la phase de transition, nous nous demandons tous ce que Trump va dire lors de son discours d'investiture. Va-t-il enfin se présidentialiser ? Aura-t-il la volonté de jouer la carte de l'apaisement, de rassurer ses alliés et d'appeler à l'unité de la société américaine ? Beaucoup tentent, sans trop y croire, de s'en convaincre.

Mais après une heure passée à débattre de ces questions, je décide de sortir de cette bulle et de me mêler à la foule sur le Mall. Malgré le froid et la bruine, l'ambiance est bon enfant. Je parle avec quelques familles qui me disent leur fierté d'avoir pu venir assister à l'inauguration de celui qu'elles voient comme un sauveur pour l'Amérique.

« Lui au moins, il va changer les choses », me dit un père de famille de Pennsylvanie qui est entouré de ses deux garçons. Ses paroles me rappellent celles écoutées tant de fois lors des meetings de Trump : « Il va “vider le marigot” qu'est devenue Washington ! », s'exclame-t-il en reprenant des mots souvent utilisés par le nouveau président. S'il était besoin de clarifier sa pensée, il ajoute : « Il va virer tous ces incapables qui gouvernent depuis trop longtemps notre pays. » Une grand-mère, qui est à côté, s'immisce dans la conversation : « Depuis Reagan, nous n'avons été dirigés que par des bons à rien. S'il fait ce qu'il dit, alors l'Amérique redeviendra une grande puissance. » Je n'ose pas lui répondre que les États-Unis demeurent tout de même, et de très loin, la première puissance mondiale. Le jour est mal choisi pour argumenter.

Une chose me frappe néanmoins. Dans les personnes qui m'entourent, je ne croise quasiment aucun Noir, Asiatique ou autre membre des minorités ethniques. Comme dans ses meetings, c'est l'Amérique blanche qui est représentée, celle des États pauvres du Sud, des Appalaches et de la Rust Belt.

Quelques heures s'écoulent et la cérémonie commence. Les anciens présidents et les plus hauts responsables américains sont réunis dans la tribune d'honneur. Les sourires sont crispés et on sent l'ambiance se tendre peu à peu. Alors que la figure de George W. Bush apparaît sur un des écrans géants retransmettant la cérémonie, je me souviens de ce que m'a confié un de mes amis démocrates quelques jours plus tôt : « Je n'aurais jamais pensé dire cela mais j'en suis venu à être nostalgique de George W. Bush. Je détestais ses politiques, mais à côté de Trump j'ai l'impression que c'est un modéré, voire même un sage. »

Alors que la cérémonie vient de débuter, le leader démocrate du Sénat, Chuck Schumer, prend la parole. Autour de moi, la foule se met à le huer et à l'insulter copieusement. Chez ces hommes et ces femmes, c'est de la haine que je sens désormais. Ils portent au plus profond d'eux une colère immense à l'égard d'un establishment dont Schumer, sénateur de l'État libéral de New York, leur semble être l'incarnation parfaite.

Puis arrive le moment tant attendu. Trump monte à la tribune. Le visage fermé, il prononce une diatribe aux relents nationalistes. Ce discours porte incontestablement la marque de Steve Bannon, son éminence grise d'extrême droite.

Le nouveau président ne cherche pas à rassembler la société américaine ou à rassurer ses alliés. Il est là pour s'adresser à ses supporters. Entre ce Trump et celui de la campagne, il n'y a pas l'ombre d'une différence. Le message est clair: « L'Amérique entre dans une nouvelle ère et je ferai ce que j'ai dit. » Comme il a dit à peu près tout et son contraire, cela ne facilite pas l'analyse. Mais tout le monde comprend qu'il veut « renverser la table ». Malgré la pluie et le froid, la foule sur le Mall est ravie.

Quelques mètres plus loin, dans l'enceinte de l'ambassade du Canada, c'est en revanche la soupe à la grimace. Ceux qui espéraient plus de nuance, voire une « présidentialisation » du nouveau locataire de la Maison-Blanche, viennent de voir leurs illusions s'effondrer.

La rumeur dit que Trump aurait voulu pour son investiture une parade militaire. Les plus hauts responsables militaires américains lui ont poliment expliqué que ce n'est pas dans les traditions américaines et que cela ne s'organise pas du jour au lendemain. «Au moins quelques avions de chasse survolant le Mall ?» aurait-il demandé. Demande accordée, sauf qu'au dernier moment les conditions climatiques ne le permettent pas. Il se contente donc de remonter le Mall dans son immense convoi, sortant de sa voiture pendant quelques dizaines de mètres pour saluer ses supporters.

À la fin de cette cérémonie, je décide de rentrer à pied chez moi. Au fur et à mesure que je m'éloigne du Capitole, la foule est de plus en plus clairsemée. Arrivé à Dupont Circle, je croise quelques manifestants anti-Trump entourés par un important dispositif policier.

Sur les chaînes d'information continue, les analystes commencent à se succéder pour répondre à des questions aussi cruciales que: «La tenue de Melania Trump était-elle un hommage à Jackie Kennedy ?» «Pleuvait-il vraiment durant la cérémonie d'investiture ?» «Y avait-il plus de monde durant cette cérémonie que lors de celle d'Obama ?»

Ces deux dernières questions vont d'ailleurs nourrir une des premières polémiques de la présidence Trump et contribuer à faire connaître à l'Amérique Sean Spicer, porte-parole de la Maison-Blanche, et Kellyanne Conway, conseillère en communication du président. Pour la défense de Spicer, il faut reconnaître que le job de porte-parole de la Maison-Blanche est par définition très difficile, et qu'avec Trump comme boss il est devenu quasiment impossible. Cela consiste désormais à aller chaque jour devant une horde de journalistes en furie tenter d'expliquer rationnellement les tweets et déclarations intempestives du président.

Au moment où je commence à écrire quelques notes sur cette journée dans mon carnet, je reçois le SMS d'un collègue : « Allume vite Fox, Trump va prononcer son discours à la CIA. » Alors que de nombreuses controverses sont apparues au grand jour au cours des dernières semaines entre l'équipe de campagne du nouveau président et les agences de renseignement, Donald Trump a fait le choix de s'adresser le jour même de son investiture au personnel de la CIA. Cela doit être une manière pour lui de rassurer ces femmes et ces hommes qui servent l'Amérique mais également d'affirmer son autorité de commandant en chef de la première puissance mondiale. Devant le monument érigé en hommage aux agents de la CIA morts en opération, Donald Trump prononce une longue diatribe dépourvue de toute solennité. Malgré l'habitude que j'ai des débordements du nouveau locataire de la Maison-Blanche, je suis frappé d'observer que, dans un lieu si solennel et si emblématique de la puissance américaine, il ose prononcer un discours où l'agressivité rivalise avec une autosatisfaction teintée de vulgarité.

Au soir de la première journée de la présidence Trump, une ambiance lourde vient de s'abattre sur Washington. Sur les réseaux sociaux et les chaînes d'information continue, les polémiques se succèdent à un rythme effréné. Une sorte d'hystérie collective, qui ne semble pas près de retomber, s'est emparée de la capitale. Quant à l'Amérique, elle entre dans une zone d'incertitude totale.

La Marche des femmes

Le lendemain de la cérémonie d'investiture de Donald Trump, une atmosphère complètement différente règne dans la capitale américaine. Des quatre coins du pays, des centaines de bus arrivent à Washington pour la Marche des femmes. L'ambition est claire : dès le jour qui suit de l'entrée de Donald Trump à la Maison-Blanche, une partie de la société américaine veut lui montrer qu'elle est déjà prête à se dresser face à lui. Dans toutes les grandes villes américaines, des femmes se sont réunies à l'aube pour exprimer leur opposition à un nouveau président qui a multiplié les propos sexistes et misogynes durant la campagne.

Lorsque j'arrive sur le Mall, le contraste ne peut pas être plus saisissant avec ce que j'ai vu la veille. Les bikers et les familles sur leur trente et un ont été remplacés par une foule joyeuse vêtue de polos et de sweats de couleur rose. Dans la foule, une grande majorité de femmes dont beaucoup sont issues de minorités ethniques. Mais il y a également des pères de famille accompagnant leurs filles et leurs épouses, des frères avec leurs sœurs et beaucoup de jeunes hommes de ma génération. Ils ont compris que le combat contre les discriminations envers les femmes ne sera jamais gagné s'ils ne s'en emparent pas eux aussi.

L'ambiance est joyeuse. Les slogans anti-Trump sont repris à tue-tête par une foule dont on sent bien qu'elle est composée de beaucoup de personnes qui ne sont pas habituées à manifester. Des jeunes jouent de la trompette et du djembé pour accompagner cette marche de laquelle ne se dégage aucune agressivité. Le côté festif de la marche fait presque oublier qu'à quelques centaines de mètres à peine l'homme qui vit désormais à la Maison-Blanche est considéré par cette foule comme la négation de tout ce en quoi elle croit.

À la suite de l'élection de Donald Trump, une partie du pays s'était demandé comment leur nation avait pu élire un tel président. À la stupéfaction des premiers jours avait succédé une inquiétude croissante inexorablement renforcée par les polémiques qui avaient émaillé la période de transition. Les discours prononcés la veille par Trump n'ont pas contribué à apaiser ces peurs.

Pour cette Amérique, être présent à la Marche des femmes, c'est une manière de se dire que la société américaine est encore bien vivante. Qu'elle ne laissera pas un président bafouer ses valeurs. Je sens les Américains présents ce jour-là rassurés de se sentir entourés de milliers de personnes partageant leurs inquiétudes et prêtes à descendre dans l'arène s'il le faut.

Mais alors que je suis monté près du Washington Monument pour observer l'immensité de la foule, je me dis que le vrai défi de toutes celles et ceux qui manifestent à travers les États-Unis ne sera pas de s'opposer à Trump. Il sera d'abord de retisser un lien avec l'autre Amérique. Celle qui a voté Trump et est venue la veille même, sur ce Mall, le célébrer.

L'Amérique de la Marche des femmes est urbaine et multiculturelle. Elle lit le *New York Times*, voyage à travers le monde et est passée par les universités de l'Ivy League. Pour elle, la mondialisation est une chance. Pendant des décennies, elle a construit un rêve américain qui a exclu l'Amérique rurale, blanche et paupérisée, celle des *left behind*.

La tentation est désormais grande pour elle de passer les quatre années qui viennent à attaquer sans cesse Trump et ses supporters. Elle utilisera CNN et les grands médias libéraux américains pour se jeter sur toutes les polémiques et controverses que ce président fantasque ne manquera pas de créer. Trump deviendra son obsession et elle ne se déterminera que par rapport à lui.

Mais est-ce vraiment la manière la plus constructive de dessiner les contours d'une nouvelle Amérique?... Cela empêchera peut-être Trump de retourner à la Maison-Blanche en 2020 mais est-ce que cela doit être son seul but? Peut-elle accepter de continuer de vivre dans un pays qui demeure profondément divisé et où les tensions ne feront que s'accentuer? Si elle ne tend pas la main à celles et ceux qui, pour beaucoup, ont voté pour Trump par colère, alors elle sera passée à côté de l'Histoire. Surtout, elle n'aura pas bâti les fondements d'une Amérique meilleure pour ses enfants.

Quelques semaines plus tard, j'ai l'occasion de rencontrer une des coordinatrices nationales de la Marche des femmes. C'est un dimanche soir glacial de février. Alors que je suis en train d'attendre mon train pour Washington dans le hall principal de Penn Station à New York, j'aperçois Caitlin. Quelques années auparavant, nous nous sommes rencontrés dans un cours à Harvard. Elle avait alors fait une présentation passionnée sur la lutte contre le trafic d'êtres humains. C'est une cause qui lui était chère et dans laquelle elle s'était beaucoup investie.

Ce soir, le hasard veut qu'elle rentre également à Washington. Nous nous asseyons côte à côte dans le train. Durant les heures qui suivent, elle m'explique les défis auxquels elle fait face pour structurer la Marche des femmes. Après le succès de la manifestation du 21 janvier, Caitlin aimerait que le mouvement soit le support d'une mobilisation de la société civile au-delà des clivages partisans.

« Beaucoup de femmes, mais également d'hommes, qui sont venus protester avec nous, sont républicains, m'explique Caitlin. Ils se sont joints à nous et ont soutenu notre mouvement parce qu'ils ne tolèrent pas les propos misogynes de Trump. Il y a aujourd'hui dans ce mouvement un côté bipartisan qui est devenu très rare dans la société américaine. C'est ce qui en fait toute sa force. »

Mais elle ne me cache pas ses inquiétudes : « Certaines leaders du mouvement veulent aujourd'hui imposer leur agenda politique. Un agenda de gauche, très libéral. Elles veulent que le mouvement se revendique pro-avortement et pro-mariage gay. Le problème, c'est que si nous faisons le choix de ce type de priorités, alors nous perdrons une base importante du mouvement. Comment veux-tu que nous puissions continuer de convaincre des femmes de cinquante ans du Kansas ou du Mississippi de se joindre à nous ? Or, c'est la diversité de notre mouvement qui a fait sa force initiale. »

Pour Caitlin, le risque est donc réel que le mouvement ne s'essouffle très vite. Les développements à venir vont confirmer ses inquiétudes.

Conversation dans un Uber

Je suis arrivé à Atlanta il y a deux jours. Après avoir mis une bonne demi-heure à sortir de l'aéroport Hartsfield-Jackson qui est « le plus grand aéroport du monde par son trafic » comme le souligne mon guide de poche, j'ai commandé un Uber pour rejoindre mon hôtel. Alors qu'il demeure assez rare en France d'avoir des chauffeurs qui soient des femmes, cela est très fréquent aux États-Unis. Celle qui me conduit ce jour-là a une cinquantaine d'années et vient des quartiers pauvres du sud de la ville. Les pères de ses quatre enfants sont partis les uns après les autres sans donner signe de vie. Bref, malgré les courses qu'elle multiplie, elle a clairement du mal à boucler les fins de mois.

Après avoir parlé de tout et de rien, je décide de donner un tour plus politique à la discussion. Elle est afro-américaine, vit dans une banlieue rongée par la misère et la violence et a grandi dans un État où le racisme fait encore des ravages. Je m'attends donc à ne pas avoir en face de moi une républicaine zélée. Les Américains étant plus réticents que les Français à se lancer dans de grandes causeries politiques, je formule néanmoins ma question de la manière la plus neutre possible : « Et sinon, Trump, vous en pensez quoi ? »

« Trump ? Ben, lui au moins il bosse », me dit-elle sur un ton égal en continuant de mâcher son chewing-gum. « Tu as vu tous les papiers qu'il signe dans son bureau ? Ce n'est pas comme Obama qui faisait que des beaux discours. De toute façon, faut que ça change. Alors au moins, il va tenter des choses et on verra. »

Elle m'a pris par surprise. Autant je sais que la Géorgie est un État républicain qui a voté majoritairement Trump aux dernières élections, autant il me semblait assez improbable que ma conductrice porte dans son cœur le nouvel occupant de la Maison-Blanche. Je tente donc d'en savoir plus.

« Je vois… mais juste pour mieux comprendre : vous n'êtes pas gênée par certaines mesures annoncées par Trump ? Par exemple lorsqu'il dit qu'il veut mettre fin à l'Obamacare et à pas mal de dispositifs d'aide aux plus modestes. Et puis, parmi les papiers dont vous parlez, il y a des décrets présidentiels qui vont empêcher des réfugiés de venir sur le territoire américain alors qu'ils ne présentent pas de menace pour votre sécurité. Ce sont des choses avec lesquelles vous êtes plutôt à l'aise ? »

Elle me regarde à travers le rétroviseur. Dans ses yeux, je ne sens pas une immense envie de poursuivre la discussion mais nous sommes pris dans les bouchons. Alors autant faire plaisir au petit Français qui semble se piquer de politique américaine et répondre à sa question. « Il ne manquerait plus que, vexé, ce blanc-bec me donne une mauvaise note sur Uber », doit-elle penser.

« Écoute, moi les immigrants, j'en ai marre, me dit-elle finalement. Nous, dans les quartiers noirs, on a dû fermer plein de petits commerces à cause des Asiatiques qui nous font de la concurrence illégale. Trump, il est peut-être maladroit, mais il a raison sur le fond. Il faut mettre un grand coup de balai. »

Chez elle comme chez beaucoup de responsables politiques, il ne semble plus y avoir de distinction entre immigrants illégaux et réfugiés. Dans l'*executive order* qu'il a signé la veille, Trump a ciblé des réfugiés venant de pays en guerre et non pas des clandestins faisant concurrence aux petits commerces des quartiers afro-américains. Mais j'ai le sentiment qu'il est inutile d'essayer de faire valoir ce point. En quelques mots, cette femme vient de me donner une des clés pour comprendre la défaite d'Hillary.

Les démocrates avaient adopté une stratégie électorale qui ciblait clairement les minorités, espérant reproduire la « grande coalition des minorités » qui avait permis à Obama d'être élu en 2008 et 2012. Pour eux, l'électorat afro-américain était acquis. L'équipe Clinton prédisait que 95 à 96 % des Noirs allaient voter pour leur candidate. Quand je demandais à mes contacts au sein du parti démocrate comment ils pouvaient être aussi certains de faire un score quasi soviétique dans l'électorat afro-américain, ils me répondaient invariablement : « Comment veux-tu que les Noirs votent pour Trump ? Ce type ne parle qu'à l'électorat blanc et tient un discours haineux et anti-immigrés. »

Sauf que les Afro-Américains ne se considèrent pas comme des immigrés aux États-Unis. Et qu'il est vrai que de nombreux quartiers afro-américains à travers le pays ont vu leurs petits commerces traditionnels acculés à la faillite sous la pression de la concurrence déloyale d'immigrants illégaux.

Par ailleurs, comme me l'expliquera plus tard Evelyn, une amie afro-américaine issue des banlieues de l'est de

Washington, « Nous ne pensons pas que Trump constitue vraiment une menace pour nous. OK, il tient des propos limites et a flirté avec les suprémacistes blancs, mais c'est purement électoral. Il ne reviendra pas sur les avancées majeures du mouvement des droits civiques. Sérieusement, tu l'imagines remettre en œuvre la ségrégation ? » C'est en effet une éventualité difficilement concevable, d'autant plus que la Cour suprême l'en empêcherait.

Mais quid des violences policières et du racisme qui gangrène le système judiciaire ? « Ces problèmes existaient bien avant Trump et perdureront malheureusement bien après lui », m'avait répondu Evelyn.

Il est donc clair que le discours de Trump a résonné dans une partie de l'électorat afro-américain. Néanmoins, Clinton a aussi été la victime d'un autre phénomène que ses équipes ont sous-estimé.

Alors que je m'apprête à arriver à l'hôtel, je demande à ma conductrice si c'était la première fois qu'elle votait républicain. « Moi ? Ah mais attends, je n'ai pas voté Trump. Je n'ai pas voté du tout. De toute façon, ça sert à rien. » Alors que 66,6 % des électeurs afro-américains s'étaient rendus aux urnes en 2012 pour donner un second mandat à Barack Obama, ils ne sont que 59,6 % à avoir voté en novembre 2016. C'est la première fois depuis vingt ans que le taux de participation des Afro-Américains a baissé.

Au moment de départager Trump et Clinton dans quelques États clés, la forte abstention de l'électorat afro-américain a fait beaucoup de mal à Hillary. Alors que je sors de sa voiture, ma conductrice me dégaine son premier sourire depuis le début du trajet. Et comme elle redémarre, elle me lance : « Tu n'oublieras pas de mettre une bonne note, hein ? »

L'ombre de Martin Luther King

Deux jours plus tard, je me retrouve à marcher dans les rues de Sweet Auburn, un quartier pauvre du sud-est d'Atlanta. La ville sort à peine de sa torpeur matinale et mon foie se remet lentement des old fashioned pris la veille dans des bars de Downtown. Comme chaque fois que je sors d'une soirée arrosée, je me suis réveillé à l'aube. Plutôt que de traîner au lit et sentir le spleen resserrer son emprise, j'ai décidé d'aller à la découverte d'une partie de la ville que je ne connais pas.

C'est dans ce quartier aujourd'hui dévasté par le crack et la violence que Martin Luther King est né et a passé ses premières années. À l'époque, Sweet Auburn était peuplé de familles de l'intelligentsia afro-américaine. Le magazine *Fortune* l'avait décrit en 1956 comme « le quartier noir le plus riche du monde ». Mais la déségrégation est passée par là. Les riches familles afro-américaines ont déménagé vers des quartiers blancs plus aisés et Sweet Auburn s'est inexorablement enfoncé dans le crime et la pauvreté. De grandes maisons et immeubles de brique majestueux, aujourd'hui laissés à l'abandon, sont les derniers vestiges du passé glorieux du quartier.

Au cours des dernières années, de jeunes entrepreneurs

ont tenté de lui donner un nouveau souffle. Quelques bars branchés ont ouvert et des artistes attirés par le faible prix de l'immobilier se sont installés. Mais tout cela reste balbutiant.

Alors que je marche dans la rue, je m'aperçois que je suis le seul Blanc. Je ne croise que des clochards dont le regard ne témoigne pas une empathie immense à mon égard. Je me dis alors qu'il serait peut-être plus sage de vite me trouver un *diner* où entrer et par la même occasion petit-déjeuner. L'idée de caler mon estomac encore secoué par le whisky avec une bonne omelette n'est par ailleurs pas pour me déplaire.

Après cette étape salutaire, je me mets en marche vers Ebenezer Baptist Church. C'est dans cette église que celui qui fut assassiné à Memphis en 1968 a prononcé ses premiers sermons. C'est également la paroisse dont son père a été le pasteur baptiste pendant de nombreuses années.

L'église est toujours présente, majestueuse à l'angle d'Auburn Avenue et de Jackson Street. Mais une église plus moderne a été bâtie de l'autre côté de la rue. La vieille église sur les bancs desquels le docteur King avait usé ses fonds de culotte était devenue trop petite pour accueillir le nombre croissant de fidèles.

Alors que je marche devant la maison natale de King, je vois de nombreuses familles arriver pour l'office de 11 heures. Les enfants, tirés à quatre épingles, marchent sous l'œil fier de leurs parents. Les pères de famille sont en costume cravate tandis que leurs épouses portent de belles robes longues. L'office du dimanche matin est à l'évidence un moment de rassemblement très important pour la communauté du quartier.

Dans le village où j'ai grandi en Auvergne, j'avais été

enfant de chœur pendant plusieurs années. Autant je ne rencontrais pas un réel succès avec les filles de mon âge, autant j'étais le chouchou des dames qui s'occupaient de la paroisse. Mes boucles blondes et mon visage poupon n'y étaient pas pour rien. Chaque dimanche, pendant que mes copains du catéchisme s'amusaient à faire les quatre cents coups sur les bancs réservés aux enfants de chœur, je lisais les textes sacrés sous le regard attendri de ces dames.

Désormais, je ne franchis le plus souvent les portes des églises que pour en admirer l'architecture et les fresques ou y célébrer des moments plus ou moins heureux.

Mais ce dimanche matin, j'ai envie d'assister à l'office. Un problème très pratique se pose cependant. Alors que tout le monde est sur son trente et un, je porte un simple jean et une chemise. Devinant probablement mon hésitation à passer le seuil de l'église, deux dames d'un certain âge viennent me voir avec un grand sourire. L'une d'elles me prend par le bras et, après m'avoir rassuré sur le fait que je suis le bienvenu, me conduit vers un banc au milieu de la nef.

L'église est bondée. Plusieurs centaines de personnes ont pris place le long des différentes travées. Je suis le seul Blanc. J'imagine alors la situation où un jeune Afro-Américain serait arrivé dans une paroisse de la communauté blanche en étant moins bien habillé que le reste de l'assistance. Je ne suis pas certain qu'il aurait été aussi bien accueilli que je viens de l'être.

La célébration débute quelques instants plus tard. Une vingtaine de femmes composent la chorale. Elles entonnent un premier gospel qui fait immédiatement vibrer l'église. Quelques minutes plus tard, le pasteur appelle les fidèles à échanger le geste de paix. Là où, en France, nous tendons poliment et timidement la main à notre voisin, je vois soudain les centaines de personnes présentes dans l'église se lever comme un seul homme. Elles traversent les allées et se serrent dans leurs bras. N'étant pas très démonstratif par nature, je suis un peu déstabilisé au moment où un homme d'un certain âge me serre chaleureusement contre lui. Mais très vite, porté par l'élan général, je salue avec chaleur les familles qui sont autour de moi.

Après quelques très beaux solos accompagnés par les battements de mains de l'audience, le pasteur entame son sermon. Dès les premiers mots, il désigne sa cible : le décret présidentiel qui vient d'être signé la semaine précédente. Celui-ci interdit aux réfugiés de sept pays musulmans de se rendre aux États-Unis. Quant aux réfugiés syriens, leur entrée sur le territoire américain est interdite jusqu'à nouvel ordre.

Rappelant que Jésus lui-même a été un réfugié, il se réfère à la Bible pour condamner de manière éloquente la politique mise en œuvre par le nouveau locataire de la Maison-Blanche. Il montre toute la contradiction entre le discours de haine et de stigmatisation véhiculé par le président américain et les valeurs chrétiennes dont celui-ci n'a cessé, avec son vice-président Mike Pence, de se faire le défenseur durant la campagne.

Puis, devant une audience qui est suspendue à ses lèvres, il appelle à ses côtés une jeune femme syrienne. Musulmane, elle a fondé à Atlanta une ONG qui aide les réfugiés à s'intégrer. Elle évoque avec des mots simples des enfants et des familles qui ont fui la guerre en Syrie, les violences de Boko Haram au Nigeria, les persécutions politiques en Érythrée ou l'horreur du Soudan du Sud pour chercher un avenir meilleur aux États-Unis. Elle raconte leurs efforts pour s'intégrer et parle de toutes celles et de tous ceux dont les frères, sœurs et enfants sont supposés les rejoindre bientôt mais ne pourront le faire en raison du décret présidentiel.

À l'issue de sa brève intervention, l'audience lui fait un triomphe. Ces hommes et ces femmes, issus des quartiers les plus défavorisés d'Atlanta, d'une minorité qui, encore aujourd'hui, est souvent victime de discrimination, clament dans cette église leur volonté d'accueillir plus de réfugiés. Les fidèles se lèvent, quittent leurs travées, et s'avancent vers la chaire où se tiennent le pasteur et la jeune femme. Un homme âgé me prend la main et m'invite à prier.

Lors de cette célébration, j'ai ressenti parmi les fidèles une énergie, un amour et une volonté de se battre que je n'avais pas connus depuis longtemps. Au moment de sortir de l'église, je suis plus confiant sur la capacité de la société américaine à faire bloc. Il y a dans ce pays une société civile qui, malgré ses divisions et ses fragilités, a les moyens de jouer pleinement son rôle de contre-pouvoir. Au plus profond d'eux-mêmes, les États-Unis demeurent porteurs d'une résilience qu'aucun populiste ne parviendra à briser.

À la Maison-Blanche

Comme chaque fois que je me rends à la Maison-Blanche, j'arrive une vingtaine de minutes en avance pour avoir le temps de passer les différents contrôles de sécurité. Ce matin, j'ai vérifié que mon assistante a bien transmis l'ensemble des données requises aux services de la présidence. Pour ceux qui omettent cette formalité, ce n'est même pas la peine de se présenter à l'entrée principale située sur la 17ᵉ Rue. Qui que vous soyez, les agents des services secrets américains ne prendront même pas la peine de vous écouter. Un célèbre ministre français en a récemment fait les frais. Il est fort probable que, dans un second temps, ce fut également le cas de son assistante…

Une fois cette première étape franchie, vous entrez dans un sas de sécurité où des chiens renifleurs vérifient que vous ne portez pas sur vous la moindre substance explosive. Et ce n'est qu'après être passé par un nouveau détecteur de métaux que vous pouvez enfin entrer dans une pièce minuscule où vous donnez votre nom à un soldat surarmé. Sous le regard du président américain et de son vice-président dont les portraits ornent les murs, vous attendez alors qu'un assistant vienne vous chercher.

Durant les années Obama, les yeux rieurs et le sourire de

Joe Biden contrastaient avec le sérieux et le regard fermé du jeune président. C'était un symbole probablement involontaire mais néanmoins juste des niveaux de responsabilité associés aux deux fonctions. Tandis que l'un porterait sur ses épaules le poids de l'exercice du pouvoir, le second savait qu'il serait cantonné à un rôle avant tout symbolique. Aujourd'hui, c'est au tour des portraits de Donald Trump et de Mike Pence de me faire face.

Le dernier contrôle passé, je pénètre à l'intérieur de l'Eisenhower Building. Il me faut d'abord traverser cet immense bâtiment gris, qui abrite notamment le National Security Council, avant de parvenir devant l'entrée ouest de la Maison-Blanche.

Le NSC, comme il est généralement désigné, est le bras armé diplomatique du président. Pendant longtemps, il ne fut composé que de quelques diplomates de haut vol. Lorsqu'il le dirigeait, Henry Kissinger avait réuni autour de lui moins d'une dizaine de collaborateurs. Le NSC avait alors pour mission de ne procéder qu'aux arbitrages les plus importants et de ne conseiller le président que sur les questions les plus stratégiques.

Mais saisi par le « virus bureaucratique », il a commencé à croître de manière exponentielle pour finalement être composé de près de quatre cents personnes au début du second mandat de Barack Obama. Le NSC était alors devenu un Département d'État bis. Selon le poids politique du secrétaire d'État, son influence était plus ou moins forte. Lorsque Madeleine Albright et Hillary Clinton avaient tenu les rênes de la diplomatie américaine, son influence s'en était trouvée réduite. Mais au cours des dernières années, les tensions personnelles très fortes entre John Kerry et la conseillère à la Sécurité nationale d'Obama, Susan Rice, ont surtout conduit à une forte cacophonie entre le Département d'État et le NSC.

Depuis l'élection de Trump, le NSC est à nouveau au centre du jeu. Il le doit d'abord à la relation complexe, voire compliquée, qu'entretenaient le président et son premier secrétaire d'État, Rex Tillerson. Par ailleurs, le fait que beaucoup des postes clés n'aient pas été pourvus au sein du Département d'État n'a pas contribué à renforcer le poids de ce ministère.

En ce jour de février 2017, je suis à la Maison-Blanche pour rencontrer Jason Greenblatt. Il m'a fallu du temps et surtout beaucoup d'insistance pour obtenir ce rendez-vous avec l'un des conseillers les plus proches du nouveau président américain. Je suis passé par mes réseaux « Moyen-Orient » à Washington et c'est finalement à l'issue d'un dîner interminable avec un des proches de l'équipe Trump que j'ai obtenu l'e-mail personnel de Greenblatt. Officiellement, le président a demandé à son gendre, Jared Kushner, de s'occuper du dossier israélo-palestinien. Dans les faits, tous les diplomates savent que mon interlocuteur sera l'homme à la manœuvre. Pendant plus de dix ans, il a été le conseiller juridique du nouveau président et a travaillé dans un bureau situé à quelques mètres à peine du sien. De cet homme, nous ne savons pas grand-chose. Si ce n'est qu'il est l'un des très rares à avoir gagné la confiance de Donald Trump.

Alors qu'une jeune assistante me conduit vers mon rendez-vous, je distingue les bureaux sans charme des conseillers du président. Au cours des deux années passées, j'ai souvent parcouru ces longs couloirs au sol luisant, pavé de carreaux noirs et blancs. Au moment de négocier certains axes de la coopération entre l'Union européenne et les États-Unis pour faire face à la crise des réfugiés, j'ai eu de nombreuses réunions très tendues avec l'équipe du président Obama. Plus d'une fois, je suis sorti frustré de la Maison-Blanche. Mais jamais je n'ai ressenti l'atmosphère pesante qui règne aujourd'hui dans les couloirs.

Quelques semaines à peine après l'investiture du nouveau président américain, les couacs et incidents diplomatiques se multiplient. Les fuites quotidiennes dans la presse suscitent l'ire de Trump. Une guerre sans merci est engagée avec les médias qui osent attaquer le pouvoir en place. Déjà, la Maison-Blanche donne le sentiment d'une forteresse assiégée.

Après avoir déposé mon téléphone portable à l'entrée de la pièce pour éviter tout risque d'écoute, j'entre dans le bureau de mon interlocuteur. Il ne s'en est pas trop mal tiré. À défaut d'être spacieux, son bureau est baigné de lumière. Il n'a pas encore eu le temps de le décorer comme en témoignent les quelques cadres posés sur le sol. Seuls trônent en bonne place quelques photos de sa famille.

Au menu de la réunion : accords commerciaux, Cuba et le processus de paix israélo-palestinien. Ou plus précisément ce qu'il en reste, c'est-à-dire pas grand-chose. Alors que les médias multiplient les portraits de Bannon et d'autres conseillers de Trump qui se distinguent par la violence de leurs propos et leurs liens avec l'extrême droite, l'homme que j'ai en face de moi est un modèle de courtoisie.

Comme souvent dans ce genre de réunions, nous commençons par un échange très personnel pour tenter de créer une atmosphère propice au dialogue. Souriant, il me parle d'une voix douce de sa femme et de ses enfants qu'il a dû laisser à New York. Manifestement, ils lui manquent. Il me raconte le week-end précédent au cours duquel ses enfants ont pu lui rendre visite. Le président lui-même les a invités à jouer au bowling dans les sous-sols de la Maison-Blanche.

Il le dit sans forfanterie. Seulement pour se remémorer ce moment qu'il a aimé et probablement pour me témoigner son affection non feinte pour l'homme qui occupe désormais le Bureau ovale.

Durant l'heure qui suit, il est attentif à ne jamais émettre de jugement péremptoire. Il se place dans la position de celui qui veut apprendre et ne cesse de poser des questions. Quelques mois plus tard, un célèbre expert du Moyen-Orient, dont les idées sur l'avenir de la région sont à l'opposé de celles défendues par Trump durant sa campagne, m'avouera : « Lorsque je l'ai rencontré, je pensais trouver un type buté dans ses convictions. J'avais déjà en tête un argumentaire solide pour défendre la solution à deux États et contrer les positions que je lui prêtais. Or, enchaîna-t-il, j'ai trouvé un homme ouvert à mes analyses. Il est clair qu'il ne veut donner aucune prise à ceux qui aimeraient le taxer d'arrogance ou l'accuser d'être à la botte de Netanyahou. »

À l'issue de notre entretien, je suis raccompagné à la sortie de la Maison-Blanche par une assistante qui me confie qu'elle s'apprête à quitter son poste. Elle a été recrutée sous la présidence d'Obama. Même à son niveau, il lui est difficile de continuer d'occuper ses fonctions. Après être passé une nouvelle fois sous le regard inquisiteur des agents des services secrets, je me retrouve devant la statue du marquis de La Fayette, signe des liens historiques et indéfectibles qui lient la France aux États-Unis.

L'entretien me laisse sceptique. Est-ce que Greenblatt a réellement porté attention aux positions de l'Union européenne sur les différents sujets que nous avons abordés ? Ou son attitude est-elle seulement une posture qui masque le fait que le nouveau pouvoir en place a déjà des avis tranchés sur tous ces dossiers ? Je suis au milieu de ces réflexions lorsque mon téléphone sonne. Une alerte annonce qu'un sondage place Marine Le Pen largement en tête des intentions de vote pour le premier tour de l'élection présidentielle.

Kendall

Je fais la rencontre de Kendall dans un bar de Charleston en Caroline du Sud. Après quelques minutes passées à échanger sur le match de la NFL diffusé sur l'écran situé derrière le comptoir, il me demande d'où je viens. Au cours de mes années aux États-Unis, l'évocation de la France a toujours suscité un sourire bienveillant chez mes interlocuteurs. Cela s'est particulièrement vérifié dans les États du Sud et du Midwest. Même si les Américains qui y vivent nous considèrent comme des séducteurs invétérés aux mœurs bien légères, ils ne m'en donnent pas moins le sentiment — peut-être est-ce d'ailleurs la raison cachée — d'avoir beaucoup de sympathie pour les Français.

En revanche, j'omets le fait que je suis diplomate à Washington. J'ai passé assez de temps dans ce pays pour savoir que tout ce qui peut laisser penser à mon interlocuteur que je fais partie de la bureaucratie honnie de la capitale américaine est à prohiber. Je lui parle donc de l'Auvergne. Il n'en faut pas plus pour qu'il embraye longuement sur le Texas où il a grandi.

« Tu sais, moi j'ai été élevé à la dure dans la campagne texane, me dit-il. Notre maison était située dans une bourgade au nord de San Antonio. Ma mère était secrétaire et mon père chauffeur de poids lourds. Ça ne rigolait pas toujours mais j'ai eu une enfance heureuse. »

Kendall s'est engagé dans les rangs de l'US Air Force à l'âge de dix-sept ans. Il y a servi comme mécanicien pendant une vingtaine d'années. Après avoir été basé en Allemagne et avoir servi en Afghanistan et en Irak durant les deux guerres du Golfe, il est finalement revenu s'installer en Caroline du Sud. « Le climat y est doux et ma femme aimait bien le coin », m'explique-t-il.

Désormais père de trois enfants, Kendall est un solide gaillard de quarante-cinq ans. Son énorme pick-up noir trône sur le parking en face du bar et il exhibe un beau tatouage sur le biceps droit. À ma grande surprise, il me parle de politique : « Toi qui es français, tu dois quand même trouver nos élections bizarres ? Et tout le bazar autour de Trump, je me doute bien que ça renvoie pas une belle image des États-Unis. »

Ce qui me frappe le plus, lui dis-je, ce sont au contraire les nombreuses similitudes entre son pays et le mien. Des deux côtés de l'Atlantique, j'ai vu des régions dévastées par la mondialisation et des dizaines de millions de personnes qui ne croient plus dans notre modèle économique. Des familles convaincues que l'avenir sera plus dur pour leurs enfants et que la méritocratie n'est plus qu'une illusion.

Je lui parle de la campagne présidentielle en France, de Marine Le Pen et de ce jeune candidat encore peu connu nommé Macron. Évidemment, il n'a jamais entendu parler d'eux. À ce moment-là, il s'exclame « Ah si ! Le Pen ? C'est la jeune blonde assez mignonne, c'est ça ? Ils en ont parlé sur Fox récemment. Il paraît qu'elle est pas mal. » Il fait clairement allusion à Marion Maréchal-Le Pen. Une partie de l'extrême droite américaine, proche des mouvements suprémacistes blancs tels que le Ku Klux Klan, a décidé d'en faire une de ses égéries.

« Tu l'aimes bien ? », me demande-t-il. Ma réponse lapidaire ne laisse pas de place au doute.

Je commande deux pintes de Budweiser et lui demande quel est son sentiment sur le début de la présidence Trump.

« Honnêtement, je n'aime pas le personnage. Il est grossier, il se comporte mal, bref, le gars n'a pas ce qu'il faut pour être le commandant en chef. Mais j'ai voté pour lui. De toute façon, il n'y avait pas le choix. » Voyant mon air perplexe, il ajoute : « Dans ma famille, on vote républicain de père en fils. Moi, j'ai été élevé dans des valeurs conservatrices. Donc tout valait mieux qu'Hillary.

— Qu'est-ce que tu entends par "valeurs conservatrices" ?

— Quand j'étais petit, mon père m'a appris qu'il faut toujours honorer ses dettes. Que tu peux pas dépenser plus que ce que tu gagnes. Être conservateur, c'est d'abord ça : pas gaspiller l'argent public et creuser le déficit. Or, c'est ce que font toujours les démocrates. Regarde ce qu'ils ont fait sous Obama : ils n'ont pas arrêté de balancer de l'argent dans des programmes sociaux bidon ! En plus, ça n'incitait pas les gens à bosser. Le seul démocrate que j'aimais bien, c'était Bill Clinton. Je n'ai pas voté pour lui, mais au moins il a remis le budget à l'équilibre. »

Je me garde bien de lui dire que George W. Bush a beaucoup plus endetté les États-Unis que Barack Obama. « Tu penses à l'Obamacare quand tu parles de programmes bidon ?

— Ne te trompe pas sur moi, Jérémie. J'ai envie de vivre dans un pays où tout le monde peut avoir accès à des soins de qualité. Ça ne m'amuse pas de voir des pauvres gens édentés ou qui n'ont pas les moyens d'avoir accès à des soins de base.»

Il continue: «Là où j'ai grandi, j'ai vu des mères de famille qui ne pouvaient pas se payer des opérations vitales ou se soigner quand elles avaient un cancer. Crois-moi, ça me fait aussi mal au cœur qu'à toi. Mais c'est pas normal que le gars qui ne bosse pas ait accès à de meilleurs soins que son voisin qui se lève le matin pour aller au travail.»

Cette dernière phrase me frappe. Là, au fin fond de la Caroline du Sud, les mots et les arguments de Kendall me rappellent ceux que j'ai entendus des dizaines de fois en France, notamment au sujet de la Couverture maladie universelle.

Si je voulais aller dans le sens de Kendall, je pourrais ajouter que l'Obamacare a entraîné, pour les classes moyennes, une augmentation substantielle de leurs frais d'assurance santé — les fameux *premiums*. Mais là encore, Kendall me surprend: «Tu sais, ça ne me dérange pas de payer un peu plus d'impôts ou un léger supplément sur mon assurance si ça bénéficie aux plus pauvres. Mais je veux juste pas qu'on crée des programmes où la bureaucratie dépense mon argent n'importe comment.

— OK, je comprends. Tu as donc voté Trump à cause de l'Obamacare?

— En partie seulement. Le plus important pour moi, c'est pas ça. Il y a d'autres choses plus importantes qui font que je ne voterai jamais pour les libéraux.» Il enchaîne: «La première, c'est l'avortement. Un fœtus, tu n'as pas le droit de le tuer, tu comprends? Tu sais combien il y a de fœtus que l'on tue chaque année dans ce pays?»

Je garde le silence.

« 700 000. Ça ne te choque pas, ça ?

— Je pense qu'une femme doit pouvoir avorter si elle le désire. »

Il insiste : « Mais 700 000 avortements par an, ça te dérange pas, Jérémie ? Tu penses que c'est vraiment ce que Dieu veut ?

— Écoute, je comprends ton point de vue même si je ne le partage pas. En revanche, n'es-tu pas choqué par le fait qu'il y ait eu plus de 30 000 morts par balle aux États-Unis l'année dernière ? Juste parce que vous avez un lobby des armes qui empêche toute législation qui permettrait d'éviter que des gamins soient tués chaque jour dans des lycées ou dans les rues de ton pays. »

Mon ton a été un peu sec. Au-delà du fait qu'il est peu probable qu'une des personnes présentes dans ce bar partage mes vues sur la législation sur les armes, il y en a un certain nombre qui doivent se demander qui est ce jeune Français qui se permet de critiquer la National Rifle Association — le puissant lobby pro-armes — au cœur même d'un État conservateur du sud des États-Unis.

À ma grande surprise, Kendall ne semble pas m'en tenir rigueur. Au contraire, il reprend d'une voix très douce. « Pas de souci, Jérémie. Je comprends. Tu sais, je suis le premier à regretter qu'il y ait des fous qui tirent sur nos gamins dans les lycées. J'ai moi-même trois filles et ça m'arrive d'y penser quand je les dépose à l'école. »

Et il ajoute : « Mais justement, ça prouve qu'il faut que les gens bien puissent se défendre. Si on n'autorise pas le port des armes, ce sera juste les criminels et les psychopathes qui en auront sur eux. »

Je me permets néanmoins de lui demander s'il ne pense

pas qu'une meilleure régulation des armes à feu pourrait permettre d'éviter de nombreuses fusillades, par exemple dans les lieux publics.

« Plus de régulation ? Tu rigoles ! s'exclame-t-il. Le port d'arme est déjà beaucoup trop régulé. Regarde. Moi, par exemple, j'ai servi dans l'US Air Force, je suis un citoyen respectable et je sais parfaitement manier les armes. Eh bien, même moi, je n'ai pas le droit de porter mon arme si je vais dans un stade ou dans une université. »

Je comprends qu'il sera difficile de trouver le moindre terrain d'entente sur le sujet. Sa réponse me rappelle une anecdote vécue quelques années auparavant à Boston. Un de mes colocataires originaires d'Alabama avait invité deux de ses copains d'enfance à nous rendre visite. Nous étions allés ensemble au cinéma et alors que le film s'apprêtait à commencer, l'un d'eux paraissait anxieux. Je lui demandai si tout allait bien. « Pas trop, je suis un peu inquiet, m'avait-il répondu. Quand je vais au cinéma en Alabama, j'ai toujours une arme sur moi au cas où un fou se mettrait à tirer dans la salle. Là, je me sens hyper vulnérable »...

Kendall vient de terminer sa pinte. Nous n'avons pas vu le temps passer. « Bon, je vais devoir y aller sinon ma femme va s'inquiéter. Heureux de t'avoir rencontré, Jérémie. C'était sympa cette petite discussion. » Il sort du bar et je le vois s'éloigner au volant de son pick-up Ford.

Quelques jours plus tard, sous la pression de la NRA qui finance massivement les campagnes politiques d'un grand nombre d'élus, le Congrès adopta une loi annulant les restrictions imposées par Barack Obama sur les ventes d'armes à certaines personnes souffrant de maladie mentale. Cette loi fut signée par le président Trump le 1er mars 2017.

Insultes et entre-soi

Lors d'un discours prononcé hier à la Conservative Political Action Conference, Donald Trump a accusé les médias d'être « les ennemis du peuple ». Depuis, tout le microcosme de Washington ne cesse de commenter ce dernier fait d'armes du nouvel occupant de la Maison-Blanche. Sur CNN, les éditions spéciales se succèdent. Au-dessus d'une banderole « *breaking news* », que la chaîne d'information utilise aussi bien pour un attentat ayant fait plusieurs dizaines de morts à Kaboul que pour un tweet ravageur du président, les « experts » se succèdent à l'antenne.

Les mêmes experts qui ont expliqué successivement que la candidature de Trump n'était qu'une plaisanterie, puis qu'il allait être laminé durant les primaires républicaines, et enfin qu'il ne deviendrait jamais président des États-Unis commentent avec un aplomb saisissant ce qu'ils décrivent comme étant « le dérapage de trop ». Cette fois, c'est « certain », Trump va payer le prix politique de ses dernières déclarations : sa base électorale va le lâcher, ses conseillers vont se désolidariser de lui et quelques intervenants nous annoncent même un *impeachment* imminent.

Bref, rien de nouveau à Washington. Je regarde très peu la télévision, et pourtant je reconnais la plupart de ceux qui se succèdent à l'écran. Il ne se passe désormais pas une semaine sans que ces *pundits* n'interviennent sur les plateaux de CNN, MSNBC ou toute autre chaîne d'information. Ils ont beau vouer Trump aux gémonies, force est de constater que celui-ci est une source intarissable de commentaires pour eux. Surtout, il est la raison principale pour laquelle, depuis près de deux ans, ils ne cessent de squatter les différents plateaux de télévision.

Les éditorialistes des principaux journaux du pays se sont mis au diapason. Ce matin, leurs papiers rivalisent tous d'indignation et de colère. « Trump qui s'en prend aux médias, c'est la démocratie américaine qui est en péril ! » Il n'en est pas un pour considérer que leur réaction pourrait renforcer l'idée, répandue chez beaucoup de lecteurs, que les journalistes sont avant tout obnubilés par eux-mêmes. Et peu semblent se demander pourquoi le fait d'attaquer les médias est désormais vu par certains comme un coup gagnant sur le plan politique.

Les médias profitent de cette nouvelle incartade du président pour faire un rappel de ses précédentes « victimes ». Le *New York Times* a mis en ligne sur son site une page, régulièrement mise à jour, sur laquelle sont recensés les personnalités, organisations et pays qui ont subi les foudres trumpiennes. Le grand quotidien new-yorkais pousse même le professionnalisme jusqu'à répertorier les insultes utilisées par le président.

Parmi les centaines de cibles visées par Trump, on retrouve un mélange hétéroclite de politiciens américains des deux bords, des familles de vétérans tués au combat, un ancien héros du mouvement des droits civiques — John Lewis —, l'Union européenne, les femmes en général, de nombreux pays et bien entendu des journalistes. Même John McCain, prisonnier de guerre et torturé pendant cinq ans au Vietnam, en a fait les frais. Alors que Trump s'est débrouillé pour échapper au service militaire, il ne s'est pas gêné pour affirmer que le sénateur de l'Arizona « n'est pas un héros de guerre puisqu'il a été fait prisonnier ».

Le journaliste de CNN appelle les téléspectateurs à ne pas changer de chaîne : après une brève page de publicités, il promet des éléments exclusifs sur l'« enquête russe ». Les investigations sur une possible collusion entre les autorités russes et la campagne de Donald Trump, c'est l'autre grand sujet du moment. Pas un cocktail à Washington qui ne bruisse de rumeurs relatives à cette affaire. Le fait est qu'après plusieurs mois, nous n'en savons pas grand-chose.

Néanmoins, je n'en apprendrai pas davantage ce matin car je dois filer à l'aéroport Ronald-Reagan où m'attend un avion pour Détroit. Le sevrage ne dure toutefois pas longtemps. En arrivant dans la salle d'embarquement, je suis entouré d'écrans qui diffusent en boucle CNN.

Une heure et demie plus tard, j'atterris dans l'ancienne capitale de l'automobile. C'est dans un autre pays que j'ai l'impression d'arriver. L'enquête sur les liens supposés entre des proches de Trump et les autorités russes ? Personne n'en parle. Les polémiques sur les derniers tweets du président ? Les personnes que je rencontre me disent que cela fait bien longtemps qu'elles ont perdu le fil des déclarations intempestives de Trump.

Les deux sujets qui les intéressent sont l'économie et la sécurité. Si le taux de chômage est désormais de 4,7 % au niveau national, il frôle encore la barre des 12 % à Détroit. Malgré tout, la ville commence peu à peu à renaître de ses cendres après des décennies de déclin. Des artistes et des start-up viennent s'installer, attirés par le prix très bas de l'immobilier. Alors qu'une bonne partie de la ville demeure aux mains des gangs, quelques quartiers commencent à se soustraire à leur influence et des familles viennent s'y réinstaller. Pour les habitants que je rencontre, tout le bruit de fond médiatique autour des dernières déclarations de Trump, c'est juste de la « politique politicienne » qui n'intéresse que le microcosme de Washington.

Ces échanges font écho à une discussion que j'ai eue quelques semaines auparavant lors d'un week-end en Virginie-Occidentale. Cet État est situé au cœur des Appalaches, à moins de deux heures en voiture de Washington. Pourtant, le contraste avec la capitale américaine ne peut être plus grand. Alors que Trump n'a récolté que 4,1 % des voix à Washington lors de l'élection présidentielle, c'est en Virginie-Occidentale qu'il a remporté sa plus large victoire. Avec 68,5 % des votes, il a relégué Hillary Clinton à plus de quarante points.

La Virginie-Occidentale est un des États les plus pauvres des États-Unis. De nombreuses familles ne survivent que grâce aux dispositifs d'aide sociale. Au cours des dernières décennies, beaucoup de mines de charbon ont fermé, plongeant la population dans la misère. Leur fermeture s'est faite dans des conditions écologiques désastreuses et bien des rivières sont aujourd'hui contaminées par des substances toxiques. Il y a quelques années, une gigantesque fuite avait contaminé l'eau courante de centaines de milliers d'habitants. Cette catastrophe sanitaire, comme bien d'autres, s'était produite dans l'indifférence générale.

Ce week-end-là, je déjeunais dans un *diner* situé le long d'une route de campagne. La serveuse était âgée d'une cinquantaine d'années. Alors que nous discutions un peu de l'élection, je lui avais demandé ce qu'elle pensait des propos que Trump avait pu tenir à l'égard des femmes par le passé. Notamment lorsqu'il se vantait dans des termes très crus qu'être une « star » lui permettait d'obtenir tout ce qu'il voulait. Elle me répondit d'un air assez blasé : « Je n'aime évidemment pas les termes qu'il emploie mais vous savez, il a juste parlé comme le font tous les hommes par ici. Au lycée ou, plus tard, dans ce resto, des hommes m'ont souvent fait ce genre de réflexions. C'est pas méchant, ils sont juste comme ça. Et je suis sûre que le président n'est pas un mauvais bougre. »

Elle ajouta : « Je commence à en avoir marre de toutes ces polémiques. Regardez ces journalistes qui pleurnichent dès qu'ils sont attaqués ou quand on s'en prend aux Noirs ou aux gays. Je n'ai rien contre eux mais personne n'est là pour nous défendre, nous, quand on nous traite de ploucs. De toute façon, tous ces gens à Washington ou dans la Silicon Valley nous méprisent. Pour eux, on est juste la honte de l'Amérique. D'ailleurs c'est ce qu'avait dit Clinton. »

Elle faisait allusion aux propos tenus par Hillary Clinton qui, durant sa campagne, avait qualifié les électeurs de Trump de « ramassis de pitoyables... racistes, sexistes, homophobes, xénophobes, islamophobes ». Quelques années auparavant, Barack Obama avait également été accusé de mépris lorsqu'il avait ciblé ses opposants avec des mots assez durs : « Ils sont amers, avait-il dit, alors ils s'accrochent à leurs flingues ou à leur religion. »

Plus tard dans la conversation, cette serveuse eut des mots très durs à l'égard d'Hillary qui, durant sa campagne, s'était engagée à fermer les mines de charbon encore en exploitation aux États-Unis. « Vous vous rendez compte ? m'interpella-t-elle. Ici, les mines, c'est tout pour nous. Mon père était mineur et mon mari l'est aussi. Si vous les fermez, on devient quoi, nous ? » Comme si elle pressentait que je pouvais lui poser une question sur ce sujet, elle ajouta : « L'environnement, ce n'est pas que je m'en fiche. Je sais bien que le charbon pollue. Mais pour nous, l'écologie, c'est un luxe. Le plus important, c'est de garder nos boulots. »

Ces rencontres et ces échanges à Détroit et en Virginie-Occidentale me rappelaient une chose : malgré le coup de tonnerre qu'avait représenté l'élection de Trump, Washington demeurait plus que jamais profondément déconnectée du reste de l'Amérique.

Une cocotte-minute

Au lendemain de l'élection de Trump, plusieurs amis journalistes m'avaient juré la main sur le cœur qu'on ne les y reprendrait plus. Ils n'avaient pas écouté, pas vu une grande partie de l'Amérique. Mais leur objectif, me disaient-ils, serait désormais de « reconnecter » avec l'Amérique des laissés-pour-compte.

Six mois après, rien n'a changé.

D'ailleurs, pourquoi serait-ce le cas ? Le quatrième pouvoir est en apparence totalement revigoré. Dans l'Amérique de Trump, les médias libéraux semblent investis d'une mission très claire : combattre sans relâche une administration qui incarne désormais pour eux le mal absolu. Bannon lui-même ne décrit-il pas les médias comme le véritable « parti d'opposition » ? Sur le plan économique, la situation est également florissante, comme l'illustrent les records de vente et de souscription battus par le *New York Times* et les grands quotidiens américains.

Fidèle à sa stratégie, Trump a compris quel parti tirer de la défiance de l'opinion publique à leur égard. Il sait que les médias ont cultivé un entre-soi qui les a durablement éloignés d'une grande partie des Américains. Une étude de l'institut indépendant Pew Research Center a ainsi montré que, parmi les sympathisants républicains, seuls 11 % font désormais confiance à l'information qui leur vient des médias nationaux.

Chaque fois que les éditorialistes des principaux médias se ruent comme un seul homme sur Trump, c'est donc du pain bénit pour lui. Cela renforce son statut d'outsider et crédibilise son récit selon lequel il est le seul capable de secouer ce repaire de bureaucrates et d'élus corrompus qu'est devenue Washington.

Il est stupéfiant de constater combien les médias américains et l'establishment semblent incapables d'apprendre de leurs erreurs passées.

Ce soir, nous avons décidé avec quelques amis de profiter des premiers jours du printemps qui a enfin pointé le bout de son nez à Washington. Nous nous sommes donné rendez-vous pour prendre une bière sur la terrasse d'un bar dans le quartier d'Adams Morgan. Alors que la discussion en revient invariablement aux dernières controverses émaillant l'actualité politique, Karen, une amie journaliste, s'interroge : « Comment fait-il pour toujours passer à travers ? N'importe quel politicien dirait le centième de ce que Trump a osé dire, il tirerait un trait sur sa carrière. Ce serait un vrai suicide politique. Mais avec Trump, rien. Tout glisse… », dit-elle d'un air affligé.

Robbie, un de mes bons amis qui travaille dans un think tank, résume alors parfaitement la situation : « Beaucoup d'Américains en ont marre du politiquement correct qui régit la société. Aujourd'hui, on ne peut plus rien dire. Tout est sujet à controverse. Regarde, moi, je suis démocrate et libéral. Chaque fois que je parle en public, et même avec mes amis, je dois désormais me demander si je ne suis pas en train de dire quelque chose qui pourrait être considéré comme offensant par une des personnes présentes. »

Il enchaîne : « Vous me connaissez, j'ai toujours cru essentiel et naturel de nous battre contre le racisme et le sexisme qui rongent notre pays. Mais à force de nous enfermer dans un politiquement correct omniprésent, on a créé une cocotte-minute qui ne demande qu'à exploser.

— Ne me fais pas croire que la majorité des Américains approuve les saletés qu'il raconte sur les femmes ou sur les autres sujets, réplique Karen.

— Ce n'est pas ce que je te dis ! Je pense en effet que beaucoup d'Américains n'approuvent pas les excès de Trump. Mais ils lui trouvent au moins le mérite de briser des tabous et de ne pas se soumettre au diktat de médias dès lors que ceux-ci jouent les vierges effarouchées. Ne sous-estime pas le fait que beaucoup en ont assez d'une élite coupée des réalités qui aimerait imposer à chacun sa manière de penser et de s'exprimer.

Et puis, je suis certain qu'un certain nombre d'Américains aiment Trump parce qu'ils ont l'impression qu'il dit ce qu'il pense. Lorsqu'il est attaqué, il riposte. Et que tu l'aimes ou pas, tu ne peux pas le soupçonner de faire cela de manière feinte. Il réagit de manière viscérale et cela a au moins le mérite de ne pas être calculé. »

Sur les scènes politiques européenne et française, de nombreux exemples montrent aussi que les électeurs peuvent pardonner de nombreux excès à un responsable politique qu'ils jugent authentique. Inversement, ils seront souvent impitoyables avec celles et ceux, plus policés, dont ils estiment qu'ils mènent un double jeu.

« Par ailleurs, conclut Robbie non sans une certaine dose de contradiction, la plupart des gens pensent qu'au fond de lui, Trump n'est ni raciste ni homophobe. Ils ne donnent donc pas plus d'importance que ça au contenu exact de ses propos. »

Robbie vient, probablement involontairement, de reprendre l'argument principal d'une des meilleures analyses du phénomène Trump faite durant la campagne. Dans un article publié dans *The Atlantic* le 23 septembre 2016, la journaliste Salena Zito avait écrit : « La presse prend Trump au mot, mais elle ne le prend pas au sérieux. Ses électeurs, au contraire, ne le prennent pas au mot, mais ils le prennent au sérieux. »

De retour en France quelques mois plus tard, je me ferai la remarque que l'écart entre l'humeur du pays et la bien-pensance de nombreux éditorialistes n'est pas le propre des États-Unis. De nombreux responsables politiques l'ont d'ailleurs bien compris et ils jouent de plus en plus savamment des cris d'orfraie et réactions outrées que certaines de leurs politiques suscitent dans l'establishment médiatique parisien.

Demande de grâce

Dans moins de deux heures, nous serons dans le bureau du gouverneur. «Je suis très pessimiste», me dit Sandor. «L'usage veut que le gouverneur de Virginie accorde une grâce avant la fin de son mandat. Or, McAuliffe l'a accordée il y a un mois dans un autre dossier. En plus, avec cette histoire de fusillade sur un terrain de base-ball il y a quelques jours, l'opinion publique est remontée à bloc. Pas certain qu'il ait le courage d'écouter nos arguments… » Difficile de lui donner tort. Derrière ses airs de bon vivant et son extrême courtoisie, Sandor est d'abord d'un réalisme sans faille. Son passé d'ancien chef des services de renseignement hongrois n'y est probablement pas étranger.

«Revoyons tout de même le dossier, lui dis-je. Juste pour répéter une dernière fois notre plaidoirie… » Sandor bougonne quelques mots en hongrois. Puis, à l'arrière de la berline qui nous conduit à Richmond, nous reprenons un à un les éléments du dossier de William Charles Morva.

De double nationalité hongroise et américaine, Morva a été condamné à mort pour un double meurtre commis en 2006. Au nom de la Hongrie et de l'Union européenne, Sandor et moi nous apprêtons à demander que sa peine de mort soit commuée en réclusion criminelle à perpétuité.

Tout avait commencé par un message lapidaire reçu plus d'un an auparavant. «J'ai besoin de te parler.»

Son auteur, Bob, avait rejoint la délégation il y a plusieurs décennies. À une époque où l'Union européenne s'appelait encore Communauté européenne. Une communauté qui n'avait alors à Washington qu'un bureau de quelques personnes.

Tout au long de sa carrière, il avait servi le projet européen avec passion et intégrité. Dans les couloirs du Congrès dont la plupart des élus ignorent tout de l'Union européenne, il s'était battu sans relâche pour défendre les intérêts de l'Europe. Mais il y avait une cause qu'il portait dans son cœur plus que toute autre: l'abolition de la peine de mort.

À peine étais-je entré dans son bureau que Bob avait commencé: «Comme tu le sais, je vais partir à la retraite dans quelques mois. J'aimerais que ce soit toi qui reprennes le dossier "peine de mort".» Il ne m'avait pas laissé le temps de répondre. «Dans les prochains mois, je te présenterai les avocats, les activistes, les ONG avec lesquels j'ai travaillé main dans la main au cours des dernières décennies. Mais avant toute chose, laisse-moi t'expliquer pourquoi l'UE a un rôle clé à jouer dans le combat pour l'abolition.»

J'avais compris que Bob ne me laisserait pas le choix. J'avais donc ouvert le Moleskine noir qui m'accompagnait partout et j'avais commencé de prendre des notes.

«À la fin des années 1990, le nombre d'exécutions atteignait des sommets aux États-Unis. Rien qu'en 1999, 98 prisonniers furent exécutés. La plupart le furent par injection létale. C'était la méthode d'exécution privilégiée depuis la réintroduction de la peine de mort en 1976. Par ailleurs, des centaines de nouveaux condamnés venaient chaque année remplir les couloirs de la mort.

« Cela faisait longtemps que l'UE soutenait discrètement mais activement les ONG mobilisées pour l'abolition. Mais nous savions que nous pouvions faire plus. Nous devions aller au cœur du système et cibler la capacité même des États à exécuter. En novembre 2010, les Britanniques "tirèrent" les premiers. Vince Cable, leur secrétaire au Commerce, mit en place un embargo sur les exportations de produits susceptibles d'être utilisés dans le cadre d'exécutions. Il fut bientôt suivi par les Allemands. Puis, en 2011, l'UE décida d'étendre cette mesure à l'ensemble des pays européens.

« Le résultat fut immédiat. L'embargo coupa les États américains de leurs principaux fournisseurs qui étaient les laboratoires pharmaceutiques européens. Beaucoup n'eurent bientôt plus les stocks de produits nécessaires pour procéder aux exécutions prévues. Des États comme le Nebraska et le Dakota se tournèrent alors vers d'autres fournisseurs, notamment l'Inde. Mais sous la pression de l'UE, celle-ci arrêta ses exportations de substances létales vers les États-Unis. Cependant, ce n'était que le début de la bataille.

« Désespérés, certains États s'approvisionnaient directement auprès de réseaux de distribution en Europe en affirmant que les produits n'étaient destinés qu'à des fins médicales. Une fois sur le territoire américain, les produits étaient transférés en toute illégalité des hôpitaux vers les prisons pour servir à l'exécution de prisonniers. On vit même le cas d'un État du Midwest où l'un des dirigeants des services pénitentiaires se retrouva du jour au lendemain propulsé dans l'administration hospitalière, avec la mission très claire d'établir un lien entre ces deux univers... Et je ne te parle pas du trafic entre États qui se vendaient ou s'échangeaient les produits manquants : un véritable marché noir s'était créé.

— Cela a donc permis aux États concernés de contourner notre embargo ? demandai-je à Bob.

— Pas vraiment. D'autant plus que nous avons mis la pression sur les agences fédérales américaines afin qu'elles s'attaquent à ce marché noir. À court de thiopental sodique, une des substances utilisées dans le cadre des exécutions, des États ont donc essayé d'"innover" dans l'horreur.

« Sans jamais l'avoir testé avant, les autorités de l'Ohio tentèrent un nouveau mélange. C'est ce cocktail qui fut administré à Dennis McGuire le 16 janvier 2014. Peu après l'injection des produits, McGuire fut pris de convulsions. Il agonisa pendant plus de vingt-cinq minutes. Devant ses enfants et sa belle-fille. L'horreur de la scène fut telle que John Kasich, gouverneur de l'Ohio et futur candidat à la présidence des États-Unis, prit la décision de suspendre les exécutions à venir. »

Par la suite, j'apprendrai que des législateurs du Wyoming et du Missouri proposèrent également de réintroduire la chaise électrique ou les pelotons d'exécution, comme cela est encore permis en Utah. Mais les gouverneurs de ces États ne s'y sont pas résolus. Ils savent en effet que, même au sein de leur électorat le plus conservateur, la barbarie de ces méthodes d'exécution en révulse beaucoup.

En sortant du bureau de Bob, je me fis la réflexion que bien peu de citoyens européens ont connaissance du combat quotidien que mène l'UE pour faire reculer la peine de mort à travers le monde. Dans ce domaine comme dans bien d'autres, j'ai souvent été frappé par l'incapacité des institutions européennes à communiquer positivement sur leur action. Alors qu'elle est constamment vilipendée par les populistes de tous bords, l'UE semble paralysée lorsqu'il lui faut défendre son bilan.

« Si l'Union européenne n'a pas mis fin aux exécutions aux États-Unis, c'est elle qui a le plus contribué à en réduire grandement le nombre », me confirma pourtant quelques semaines plus tard Robert Dunham, directeur général du Death Penalty Information Center, le plus grand centre d'analyse et de données sur la peine de mort aux États-Unis.

Une de mes premières missions dans le cadre des nouvelles responsabilités qui venaient de m'être attribuées consista à suivre les dossiers des citoyens européens qui croupissaient dans les couloirs de la mort. En lien avec leurs avocats, des ONG, ainsi que mes homologues des ambassades des vingt-huit États membres, je devais empêcher le pire de se produire. Devions-nous lancer une campagne publique ou au contraire mener une stratégie d'influence discrète ? À quel moment approcher le gouverneur ou le procureur de l'État ? Sur quels arguments s'appuyer ?

Alors que, sur d'autres sujets, je rencontrais souvent des ONG qui étaient en concurrence les unes avec les autres, il est évident que la communauté abolitionniste est particulièrement soudée aux États-Unis. La dureté du combat et le fait que l'opinion publique ne soit pas majoritairement en sa faveur y contribuent beaucoup.

Une de ces ONG, Witness to Innocence, m'a particulièrement marqué. Elle se bat pour aider ceux que l'on appelle les *exonerees.* Des femmes et des hommes qui, après des années voire des décennies passées dans les couloirs de la mort, ont été innocentés. Une fois la porte de la prison franchie, ils n'ont rien. Alors que leur vie a été détruite par un système judiciaire inique, ils ne bénéficient d'aucune aide et d'aucun soutien de l'État. Ils se retrouvent dans un monde qu'ils ne reconnaissent plus. Pour éviter qu'ils ne plongent alors dans la délinquance ou le désespoir, Witness to Innocence tente de les accompagner. Elle-même composée d'anciens condamnés à mort innocentés, sa mission est de se battre pour aider à se réinsérer ceux qui vivraient une tragédie similaire. Au sein de cette organisation, une chose en particulier m'a frappé. Aucune des personnes que j'ai eu la chance d'y rencontrer n'était rongée par la rage ou l'amertume. Leur seule préoccupation était d'éviter que demain, d'autres femmes et d'autres hommes connaissent des souffrances similaires à celles qu'elles avaient endurées.

Mais mon rôle ne consistait pas seulement à aider les citoyens européens. « Malgré la jurisprudence récente, m'expliqua Bob, il y a encore beaucoup de détenus dans les couloirs de la mort dont nous soupçonnons qu'ils souffraient de déficience mentale au moment du crime. Il faudra donc que tu te battes sur ces dossiers mais également sur tous ceux pour lesquels nous pouvons avoir une influence. »

Un dossier emblématique se présenta quelques mois plus tard. En avril 2017, notre attention se tourna vers l'Arkansas, l'État qu'avait dirigé Bill Clinton avant d'entrer à la Maison-Blanche. Le gouverneur républicain venait d'annoncer que son État allait procéder à l'exécution de huit condamnés en dix jours. Depuis 1976, jamais autant de condamnés n'avaient été exécutés en un si court laps de temps.

Asa Hutchinson justifiait publiquement sa décision par la crainte de voir les stocks de substances létales s'épuiser. Mais nous savions tous qu'Hutchinson s'apprêtait également à entrer en campagne pour sa réélection à la tête de cet État où la peine de mort demeure très populaire. Pendant des semaines, nous avons travaillé main dans la main avec différentes ONG. Malgré la mobilisation de la presse internationale, cinq condamnés furent exécutés.

« Ton travail ne s'arrêtera pas là, m'avait averti Bob. Lorsque tu le jugeras utile, tu devras également travailler avec les services juridiques de la Commission européenne pour soumettre des pétitions auprès de la Cour suprême afin de défendre ce qu'elle considère comme étant les normes essentielles des droits de l'homme. » Il avait alors sorti d'un de ses tiroirs deux documents. À leur mise en page, j'avais reconnu deux arrêts de la Cour suprême.

Ces deux décisions avaient eu une importance décisive. En 2002, dans « Atkins contre Virginie », la Cour suprême avait décidé que l'exécution de personnes handicapées mentales était contraire à la dignité humaine et donc contraire à la Constitution américaine. Puis, en 2005, dans la décision « Roper contre Simmons », elle avait déclaré inconstitutionnelle l'exécution de personnes mineures au moment du crime. Qu'y avait-il de commun entre ces deux décisions ? Chaque fois, les juges de la Cour suprême s'étaient appuyés sur les pétitions et les arguments avancés par l'Union européenne.

Comme me l'avait dit Bob, « l'UE a beau être critiquée, elle n'en demeure pas moins aux yeux du monde, y compris ici aux États-Unis, le plus grand défenseur des droits de l'homme. Alors, certes, quand tu es américain, il n'est jamais agréable que ton principal allié te dise que tu ne respectes pas les droits de l'homme. Mais une chose est certaine. Il est difficile de complètement l'ignorer. »

Le combat pour l'abolition de la peine de mort me permit de rencontrer des personnalités exceptionnelles. Henderson Hill, avocat doué d'un charisme rare, fut l'une d'entre elles. Je l'avais rencontré un jour de l'hiver 2016. Brillant, plein d'humour et doté d'une voix de stentor, il forme des avocats inexpérimentés à avoir les bons réflexes pour éviter qu'un de leurs clients ne puisse un jour se voir exécuter. Si un condamné se retrouve dans les couloirs de la mort, c'est en effet souvent parce qu'il n'a pas bénéficié d'une défense adéquate au début de la procédure.

« Pour neuf personnes exécutées dans les couloirs de la mort, il a été prouvé qu'en moyenne une est innocente », m'expliqua Henderson. Autre symbole de la cruauté et de l'inefficacité du système carcéral américain : alors qu'en 1972, 300 000 personnes étaient incarcérées, il y en a désormais plus de 2,3 millions sans que la criminalité n'ait pour autant été réduite. Les États-Unis, qui représentent 5 % de la population mondiale, comptent 21 % de la population carcérale globale.

Henderson me fit aussi mesurer à quel point le système judiciaire américain est injuste à l'égard des plus pauvres et des minorités. Dans les États du Sud, comme la Louisiane ou le Texas, un accusé a une probabilité 11 fois plus importante d'être condamné si la victime est blanche et 22 fois plus importante s'il est lui-même noir. Enfin, que dire d'un pays où un quart des adolescents afro-américains ont un de leurs parents qui est ou a été en prison et où les hommes noirs sans diplôme ont une probabilité de 60 % d'être incarcérés au cours de leur existence ?

À cela s'ajoute le fait que, dans de nombreux États, une condamnation judiciaire s'accompagne d'une perte définitive des droits civiques. Ainsi, en Alabama, 34 % des hommes afro-américains n'ont désormais plus le droit de voter.

Au moment d'arriver à Richmond, je me rappelle toutes ces rencontres. Je me dois d'être à la hauteur, sinon de ce qu'ils ont accompli, du moins de la confiance qu'ils m'ont accordée.

Les bureaux du gouverneur sont situés dans un bâtiment sans charme du centre de Richmond. Point de salle d'audience ou d'antre majestueux. La demande de grâce se déroule dans une petite salle de réunion. Le gouverneur de Virginie ne daigne même pas être présent.

Démocrate, Terry McAuliffe a bâti sa fortune dans la finance et l'immobilier. C'est en étant un grand donateur du parti démocrate, en particulier de la famille Clinton, qu'il est entré dans la sphère politique. Plus à l'aise dans les salons dorés de Washington ou de New York que dans l'Amérique profonde, se disant personnellement opposé à la peine de mort, il a néanmoins laissé se dérouler de nombreuses exécutions depuis le début de son mandat de gouverneur.

C'est donc un collège de trois hommes, le State Parole Board, qui écoute nos arguments, avant de communiquer sa recommandation au gouverneur. L'accueil est courtois et très formel. Le conseiller juridique du gouverneur, son directeur de cabinet et le ministre de l'Intérieur de la Virginie veulent nous donner le sentiment que tout est fait dans le respect des règles.

Avec Sandor, nous avons décidé de nous placer uniquement sur le terrain du droit. Nous ne contestons pas la réalité des crimes. Mais plusieurs expertises psychiatriques ont démontré que le condamné est sujet à des troubles délirants. D'après ces mêmes expertises, il est clair qu'il a commis ces crimes alors qu'il n'était pas en pleine possession de ses facultés mentales. Dans un procès bâclé et mené à charge, elles n'ont pas été prises en compte. S'il exécute William Charles Morva, Terry McAuliffe le fera donc en violation des règles de droit international qui stipulent qu'exécuter une personne déficiente mentale est contraire à la dignité humaine.

Sandor prend la parole en premier. Il fait un exposé limpide et synthétique. Après quelques minutes de discussion, l'un de nos interlocuteurs, qui a du mal à contenir son impatience depuis le début de l'entretien, le coupe: «Attendez, vous me dites que le type n'est pas en pleine possession de ses moyens. Vous voulez rire ou quoi? Après avoir abattu sa première victime, il s'est caché avant d'abattre de sang-froid sa deuxième victime. J'appelle ça un meurtre prémédité. Ce n'est pas de la démence, ça! Ce gars savait ce qu'il faisait.» Alors qu'il est chargé de donner un avis crucial sur la décision ou non d'exécuter un homme, il vient de nous démontrer qu'il est incapable de faire la différence entre la démence et la capacité à préméditer un meurtre.

En quittant la salle de réunion quelques minutes plus tard, j'ai ce sentiment étrange que tout s'est passé trop vite. Que nous n'avons pas vraiment eu la chance de défendre le cas. Que les jeux étaient déjà faits.

Le lendemain, la fille d'une des victimes de Morva,

Rachel Sutphin, demande que le meurtrier de son père ne soit pas exécuté. Elle explique avec dignité que la peine capitale n'atténuera en rien sa peine. Le courage de cette femme nous redonne espoir. Nous savons en effet que McAuliffe, s'il devait procéder à l'exécution, la justifierait immédiatement en disant qu'il l'a fait pour soulager la douleur des familles de victimes. Cet argument n'est plus à sa disposition.

Plusieurs jours s'écoulent.

Un matin, la nouvelle tombe : William Charles Morva a été exécuté la veille par injection létale au centre pénitentiaire de Greensville. Il avait trente-cinq ans.

Des mots qui résonnent

Je suis attendu ce matin au German Marshall Fund. À quelques mètres du bel hôtel particulier qu'occupe ce prestigieux think tank se trouve la maison où j'ai vécu lors de mon premier séjour à Washington. C'était il y a près de dix ans. Le quartier s'est embourgeoisé depuis cette date mais il a finalement peu changé. Le pressing et la petite épicerie au coin de la rue sont toujours là. Le couple de personnes âgées qui m'avait hébergé est, quant à lui, parti. Ils ont fait le choix de finir leurs jours en Californie sous un climat plus clément.

Après être restée plusieurs mois en vente, la maison a finalement été acquise par un promoteur immobilier qui l'a divisée en condominiums de luxe. Au cours des dernières années, cela a été le destin de beaucoup de belles demeures du centre de Washington. Autrefois occupées par des familles de la bourgeoisie afro-américaine, elles sont nombreuses à avoir ensuite été abandonnées lorsque la capitale a sombré dans la violence et le déclin. C'était avant qu'elles ne connaissent une nouvelle vie permise par le renouveau spectaculaire de Washington. Alors que je m'apprête à partir, je vois un couple de jeunes hommes portant une poussette franchir la porte principale.

La réceptionniste du GMF m'annonce qu'Ivan Vejvoda aura quelques minutes de retard. Ivan est désormais l'un des principaux dirigeants du think tank.

Nous nous sommes rencontrés pour la première fois à Belgrade il y a plus de quatre ans. Avant de venir m'installer à Washington, j'avais vécu dans la capitale serbe pendant quelques mois.

J'avais toujours été attiré par l'ex-Yougoslavie. Au sortir de l'enfance, j'avais vu défiler en boucle à la télévision les images de réfugiés, de villages détruits et du siège de Sarajevo qui n'en finissait plus. Jeune étudiant, j'avais lu les mémoires de Richard Holbrooke, grand artisan des accords de Dayton, diplomate américain sanguin et brillant, doué d'un charisme mêlant charme et brutalité. Mais je voulais en savoir plus sur l'histoire des Balkans, terre à la fois si lointaine et si proche. Comment cette région au cœur de l'Europe avait-elle pu basculer dans la guerre ? Pourquoi les puissances européennes, au premier rang desquelles la France, avaient-elles été incapables d'empêcher l'indicible de se produire à nouveau sur notre continent ?

Dès que l'occasion s'était présentée, j'avais donc pris un poste de consultant pour la Banque mondiale basé à Belgrade. Ce dernier avait surtout été un bon prétexte pour sillonner la région. Pendant plusieurs mois, j'avais parcouru la Bosnie, la Serbie et les anciennes républiques yougoslaves. J'étais allé à la rencontre de femmes et d'hommes qui avaient vécu la guerre et la montée des nationalismes qui avaient rongé cette région.

C'est ainsi que j'avais fait la rencontre d'Ivan. Érudit, polyglotte, doté d'une distinction naturelle dans chacun de ses gestes, il m'avait donné le sentiment de sortir tout droit d'un roman de Sándor Márai lorsque je l'avais rencontré pour la première fois dans un hôtel du centre de Belgrade. Depuis ce jour, nous nous étions souvent revus. Inquiet de la résurgence des populismes à travers les Balkans, il était passionné par le projet européen. Il espérait de tout cœur que les pays qui avaient constitué hier la Yougoslavie seraient un jour des acteurs de la construction européenne.

Mais aujourd'hui, Ivan m'a fait venir car il souhaite m'annoncer quelque chose.

«Je vais quitter Washington, me dit-il. J'ai décidé de rentrer dans les Balkans pour défendre les causes qui me sont chères.

— Pourquoi? J'avais l'impression que votre épouse et vous étiez heureux ici.

— Oui, nous le sommes, me répond-il. Mais tu sais, Jérémie, toi et moi avons souvent parlé au cours des dernières années de la montée des populismes des deux côtés de l'Atlantique. Nous avons été en première ligne pour voir ce qui s'est passé aux États-Unis.

«Il nous faudrait être aveugles pour ne pas voir que ce sont des tendances de fond qui sont désormais à l'œuvre. Nos sociétés sont profondément fracturées. Il y a une grande partie de nos concitoyens qui sont désormais prêts à céder aux sirènes des extrêmes car ils ont le sentiment de ne plus rien avoir à perdre. Or, ce n'est pas la société que je veux laisser aux générations futures. Ne nous leurrons pas, j'ai désormais un certain âge. Mais je ne peux pas me résoudre à n'être qu'un observateur de ces phénomènes.

«Certes, Washington est probablement le plus beau poste d'observation sur le monde que l'on puisse imaginer. Tous les chefs d'État, les plus brillants diplomates et les meilleurs analystes politiques et géopolitiques passent par cette ville. Cette capitale est le carrefour diplomatique du monde. Mais pour des personnes comme toi et moi, elle n'en demeure pas moins une cage dorée. Car ce ne sera jamais à partir d'ici que nous pourrons vraiment changer le cours des choses dans nos pays respectifs. »

Quelques mois plus tôt, j'étais rentré en Auvergne pour passer les fêtes de fin d'année en famille. J'avais alors vu le débat politique français monopolisé par les populistes de tous bords et de vieux partis politiques dominés par des apparatchiks. J'avais senti la colère monter autour de moi et vu des amis se laisser de plus en plus séduire par les solutions extrêmes. Les mots d'Ivan résonnaient donc de manière très forte.

« Ivan, lui dis-je, j'aimerais que vous me disiez ce qui, au plus profond de vous, vous pousse à vous engager. »

Il prit quelques secondes de réflexion. Puis il me dit : « Jeune homme, mon père a combattu Franco aux côtés des républicains espagnols. Ensuite, il s'est engagé dans l'armée française au moment où la menace nazie se faisait plus forte. Après la débâcle de 1940, il est revenu dans son pays natal pour poursuivre auprès des partisans la lutte contre l'occupation fasciste. Dans la jeune Yougoslavie d'après guerre, c'est lui qui a conceptualisé auprès de Tito le mouvement des non-alignés et fut un des premiers à diriger la diplomatie yougoslave.

« Mon père était donc un modèle. Un homme qui s'est battu toute sa vie avec courage pour défendre ses convictions. Pourtant, je me suis longtemps refusé à m'engager dans la sphère publique, ajouta Ivan.

« Durant la première partie de ma vie, j'ai enseigné.

J'aimais la quiétude de ma vie de professeur. Je transmettais un savoir et j'avais le sentiment d'être utile à mes élèves. Mais il est arrivé un moment, Jérémie, où je ne pouvais plus rester extérieur à ce qui se passait autour de moi. À Belgrade, Slobodan Milošević dirigeait une dictature nationaliste dont je pressentais qu'elle conduirait mon pays dans l'abîme. Ne pas m'engager, cela aurait été trahir la personne que j'étais, tout ce en quoi je croyais et pour quoi mon père s'était battu.

« Au milieu des années 1980, je suis donc entré pour la première fois dans l'arène publique. Afin de lutter contre Milošević et son régime. J'ai sacrifié plus de dix années de ma vie à ce combat. J'ai même été contraint à l'exil.

« Durant ces années passées loin de mon pays, je n'ai cessé de me demander comment l'ex-Yougoslavie avait pu basculer, au début des années 1990, dans un conflit ethnique et religieux alors que l'horreur de l'Holocauste avait été enseignée à ma génération lorsque nous étions enfants. Comment des personnes de ma génération, qui savaient ce qui se cachait derrière les mots « Auschwitz » et « Treblinka », avaient-elles pu à leur tour, au cœur même de l'Europe, créer de nouveaux camps de concentration comme ceux que l'on a vus en Bosnie ?

« À ces questions, je n'ai pas trouvé de réponse. J'ai juste fait le triste constat que nous oublions constamment les leçons de l'Histoire. Alors, pour éviter que le pire ne se produise, il n'y a qu'une solution : s'engager. S'engager pour défendre ses idées et ses valeurs. Car si tu ne le fais pas, personne ne le fera pour toi. »

Le 7 mai 2017

Je suis invité à suivre le second tour de l'élection présidentielle chez un couple d'amis. Nous nous sommes rencontrés à Harvard il y a plusieurs années. Lorsqu'ils se sont installés à Washington, le hasard a voulu qu'ils emménagent à quelques dizaines de mètres à peine de mon appartement. Pas mal d'invités sont déjà présents. La plupart sont français. La communauté française est importante dans la capitale américaine. En plus des diplomates et des correspondants des grands médias nationaux, beaucoup de Français travaillent pour des institutions internationales telles que la Banque mondiale ou le FMI.

Les résultats seront annoncés dans moins d'une heure. Entre les deux tours, je suis rentré quelques jours en France. Après une halte à Paris pour des réunions de travail, j'ai décidé d'aller passer quelques jours chez moi en Auvergne.

À Paris, j'ai vu des amis enthousiasmés par Macron et convaincus que la France allait entrer dans une nouvelle ère. Mais je ne voyais là qu'une face de la France. De la même manière que la société américaine est divisée en deux, il y a une autre France. Une France qui a profondément souffert au cours des dernières années. Une France où le ressentiment à l'égard des élites politiques est immense et où beaucoup ont la conviction que c'est un avenir sombre qui s'offre à leurs enfants.

En Auvergne, là où j'ai grandi, je suis frappé par l'absence d'enthousiasme, voire d'intérêt, pour ce qui est en train de se passer. Je rencontre plusieurs personnes pour lesquelles le second tour s'apparente à choisir « entre la peste et le choléra », pour reprendre les mots d'un retraité. Beaucoup connaissent mal Macron mais ils ont aussi du mal à « connecter » avec cet homme qui semble venir de sphères si différentes des leurs. Nos discussions me rappellent les échanges que j'ai eus si souvent aux quatre coins des États-Unis. J'ai en face de moi des personnes dont le désespoir est si grand que leur seul désir est de renverser la table. Convaincues que rien ne changera, elles seront d'ailleurs beaucoup à s'abstenir.

Quel que soit le résultat de l'élection présidentielle, je comprends qu'il faudra beaucoup d'efforts et de temps pour renouer le lien avec ces femmes et ces hommes qui se considèrent, de ce côté également de l'Atlantique, comme les laissés-pour-compte du système actuel.

La tension monte peu à peu dans l'appartement de mes amis. Alors que nous nous approchons du moment où les résultats seront annoncés, il ne manque pas d'invités prêts à « surjouer » leur crainte que Le Pen soit élue. Peu importe que le contexte ne soit pas exactement le même que celui qui a conduit à la victoire de Trump ou au Brexit. Beaucoup ont décidé de faire de ce 7 mai 2017 un jour propice pour se muer en commentateur avisé de la vie politique française. « Moi, si Le Pen est élue, je ne remets jamais les pieds en France » ; « Si elle passe, je vous l'annonce : c'est la fin de l'Europe ! » ; « C'est la guerre ! » se risque même un des invités qui a visiblement un peu forcé sur la sangria.

Je m'assois dans un coin et attends de voir avec quelle marge Macron va l'emporter.

Les résultats tombent.

Je pars alors marcher dans les rues de Kalorama. J'ai besoin d'être seul.

Contrairement à ce que certains commencent déjà à clamer, la France n'est pas sauvée. La colère et la détresse qui animent la société française ne vont pas disparaître du jour au lendemain. C'est une longue bataille qui commence.

En marchant, je pense alors à une phrase d'Edmund Burke que j'ai lue quelques années plus tôt dans un petit immeuble délabré du centre-ville de Sarajevo. Au deuxième étage de cet immeuble se trouvait la galerie 11/07/95. Lorsque je l'avais visitée, elle exposait les photos des milliers d'hommes et de jeunes garçons qui avaient été massacrés sur les hauteurs de Srebrenica du 11 au 17 juillet 1995. Dans le hall d'entrée étaient écrits les mots du philosophe anglais : « Pour triompher, le mal n'a besoin que de l'inaction des gens de bien. »

Ce 7 mai 2017, je prends la décision de rentrer en France. Les rencontres et les expériences que j'ai vécues au cours des dernières années aux États-Unis m'ont beaucoup appris sur moi-même et m'ont ouvert de nouvelles perspectives sur les défis auxquels nous faisons face des deux côtés de l'Atlantique. J'ai appris à aimer les États-Unis et cette société si complexe. Mais le temps est désormais venu pour moi de rentrer dans le pays qui est le mien : la France.

Six mois plus tard

C'est la première fois depuis six mois que je reviens à Washington. Le matin de mon arrivée, Trump a, d'un tweet menaçant, averti la Russie qu'elle devait se préparer à l'envoi de missiles « beaux, nouveaux et intelligents » sur la Syrie. Quelques heures après avoir atterri, je rejoins un groupe d'amis. À peine ai-je eu le temps de les saluer que la discussion se concentre sur Trump. Les mois ont passé mais l'obsession pour le président américain demeure.

« Trump ne nous laisse pas respirer », me dit l'un d'eux, correspondant d'un grand quotidien français. « Par ses tweets, ses revirements incessants et ses déclarations inattendues, c'est lui qui impose le tempo de l'agenda médiatique. Il est présent partout et tout le temps. » Sur les chaînes d'information continue, lors des rendez-vous d'affaires, dans les travées des stades de base-ball ou à l'occasion de rendez-vous galants, Trump est au cœur de toutes les discussions. Il sature l'espace médiatique, déchaîne les passions et provoque des réactions viscérales.

Plus d'un an après son entrée à la Maison-Blanche, Washington vit au rythme du « show Trump ». Les diplomates, tout comme les journalistes, se retrouvent à suivre le rythme infernal des *breaking news.* Les nouvelles s'enchaînent à un rythme effréné et il leur est difficile de dégager des lignes de force dans la politique de l'administration américaine.

Nombreux sont mes contacts qui se plaignent de vivre dans ce climat de tension permanente. Force est cependant de constater qu'ils ne laisseraient leur place pour rien au monde. Comme toute la capitale américaine, ils sont « shootés » à Trump. Ils savent qu'ils vivent quelque chose d'unique, un feuilleton dont chaque épisode est plus excitant et inattendu que le précédent. L'un d'entre eux le reconnaît d'ailleurs : « Trump est une aubaine pour nous autres journalistes. Il est une source intarissable d'articles et plus d'un an après son arrivée à la Maison-Blanche, il continue de faire vendre du papier. »

Mon séjour m'offre d'ailleurs un aperçu de cet emballement médiatique permanent. Alors que CNN et Fox News ne cessent de spéculer sur les conséquences des enquêtes visant l'avocat personnel de Trump, le Speaker de la Chambre des représentants, Paul Ryan, annonce qu'il ne se représentera pas aux élections de mi-mandat. Au même moment, tout Washington bruisse du nouveau livre de James Comey, l'ex-patron du FBI viré par Trump. Le blitz médiatique qui accompagne la sortie de son livre lui assure, sur les chaînes d'information et les antennes radio, une couverture similaire aux frappes lancées par la France, les États-Unis et le Royaume-Uni contre le régime de Bachar el-Assad. Dans tout ce tintamarre, l'annonce par le dictateur nord-coréen, Kim Jong-un, du gel de son programme d'essais nucléaires passerait presque inaperçue. Bref, tout s'enchaîne à un rythme effréné, sans qu'il y ait la moindre hiérarchisation de l'information.

Dès le lendemain de mon arrivée, je suis invité à déjeuner au Congrès. En face de moi sont assis trois élus de la Chambre des représentants. Tous âgés de plus de soixante-dix ans, ils incarnent l'aile la plus conservatrice du parti républicain. Le déjeuner doit être l'occasion d'échanger sur leur vision de la relation transatlantique. Une fois passées les politesses de rigueur, je leur demande ce qu'ils pensent des tensions croissantes entre l'Union européenne et les États-Unis à propos de la régulation devant s'appliquer aux géants du Net, aussi bien sur le plan de la fiscalité qu'en termes de protection des données. « Ah oui, c'est une bonne question, me répond l'un d'entre eux. On vient d'ailleurs d'auditionner un jeune homme qui s'appelle Zuc... Zuc... euh, c'est quoi son nom déjà ? » dit-il en se tournant vers ses deux collègues. L'un d'eux réagit alors : « Ah oui ! Celui qui a lancé le site sur lequel mes petits-enfants sont tout le temps. » Passé quelques secondes où je me demande s'ils plaisantent, je suggère « Vous faites peut-être référence à Mark Zuckerberg de Facebook ? » « Oui ! c'est ça ! C'est bien lui ! » s'exclame le troisième.

Au début de la semaine, le Sénat puis la Chambre des représentants ont convoqué Zuckerberg pour qu'il s'explique sur le scandale Cambridge Analytica. Des auditions qui, pour reprendre les mots d'une amie d'Harvard désormais avocate spécialisée sur les questions de protection des données, « ont donné le spectacle de deux Amérique qui se connaissent mal et se comprennent encore moins ». D'un côté, un jeune entrepreneur milliardaire ayant bâti son succès dans une Silicon Valley majoritairement démocrate, libérale et affichant un mépris non dissimulé à l'égard de l'establishment politique de la capitale. De l'autre, un Congrès d'une génération différente, dominé par les républicains, et semblant dépassé par les enjeux soulevés par les profondes mutations technologiques aujourd'hui à l'œuvre.

Mais ce ne sont pas seulement Washington et la Silicon Valley qui se retrouvent séparées par un fossé immense. Au fur et à mesure de mes rencontres et de mes discussions avec les Américains, beaucoup d'entre eux me donnent l'impression de ne regarder désormais leur pays qu'à travers le prisme d'un ou deux sujets qui les concernent directement.

Comme me l'explique Jon, un journaliste de Fox News avec lequel je prends un café, « la seule chose qui importe désormais pour un grand nombre d'Américains, c'est de savoir quel profil de juge est susceptible d'être nommé à la Cour suprême par chaque candidat à la présidence. Pour eux, ce sujet est vital car cela détermine l'évolution de la société à l'horizon de trente ou quarante ans. Le reste, ils s'en fichent. » Alors que je lui demande si la base électorale de Trump va lui demeurer fidèle, il enchaîne : « Bien évidemment, Jérémie ! Trump a répondu à leurs attentes en nommant Neil Gorsuch à la Cour suprême : un juge anti-avortement et défendant le *Second Amendment.* C'est tout ce qui compte pour une grande partie de son électorat. Pour le reste, Trump peut bien faire ce qu'il veut en politique intérieure et étrangère, ils s'en moquent et ne voteront jamais pour un autre candidat. Tiens, prends l'exemple de gens qui me regardent ou m'écoutent en Alabama. Eux, ils ne lâcheront jamais Trump. Ils l'idolâtrent ! »

Des deux côtés du spectre politique, la polarisation de la société américaine m'apparaît plus prononcée qu'elle ne l'a jamais été. De la même manière qu'une partie importante de l'électorat républicain ne détermine plus son vote qu'en fonction du droit de porter des armes et de la lutte contre l'avortement, beaucoup de démocrates n'articulent plus leur vision de la société américaine qu'en fonction des droits accordés à leur communauté d'appartenance. L'Amérique atteint ici les limites d'un modèle communautariste poussé à l'extrême. Un modèle qui empêche de plus en plus les Américains de dialoguer entre eux, de bâtir ensemble des projets communs et de repenser le rêve américain.

« Les États-Unis paient le prix d'un paysage médiatique très divisé et de réseaux sociaux qui ne favorisent pas les échanges de points de vue entre des personnes d'origines et d'opinions différentes. Et n'oublions pas notre système de financement politique qui, en favorisant les extrêmes, a renforcé cette hyperpolarisation de la société américaine », m'explique Julie, dirigeante d'un des grands think tanks de Washington.

« Au cours des dernières années, ajoute-t-elle, le parti démocrate a ainsi choisi d'adopter une stratégie qui ciblait spécifiquement certaines communautés en faisant le pari que l'addition de ces différents électorats lui suffirait à remporter les élections nationales. » Son constat est sans appel : « En agissant ainsi, il a enfermé des pans entiers de ses électeurs dans une identité limitée à leur seule appartenance à la communauté LGBT, afro-américaine ou à toute autre minorité. » Aujourd'hui, le parti démocrate a compris qu'il ne pourra reconquérir la Maison-Blanche en 2020 qu'en faisant émerger un candidat « centriste » capable de capter l'électorat indépendant. Mais il se retrouve pris au piège de cette stratégie communautariste et clientéliste qu'il a mise en œuvre pendant des années.

Cette polarisation de l'Amérique ne se limite cependant pas aux questions sociétales. Lors des réunions que j'enchaîne avec des représentants du patronat américain, je suis frappé de constater que certains n'analysent la première année du mandat de Trump que sous le prisme de la réforme fiscale et de la dérégulation. Parce que l'impôt sur les sociétés va baisser de 35 % à 21 % et que le président s'est engagé à déréguler massivement l'économie américaine, ils sont nombreux à soutenir sans réserve l'administration Trump.

Oubliée la crise de 2008 provoquée par les excès de la dérégulation. Ignorées les tensions accrues au sein de la société américaine, les propos racistes et la remise en cause du multilatéralisme par l'actuel locataire de la Maison-Blanche. Et peu importe qu'un organisme indépendant comme le Bureau du budget du Congrès annonce que le déficit public américain va passer de 800 milliards à plus de 1 000 milliards de dollars en 2020, soulevant de nombreuses interrogations sur la soutenabilité de la dette publique américaine. Tout cela est renvoyé aux oubliettes.

Il me faut attendre plusieurs rendez-vous pour enfin rencontrer un homme d'affaires, dirigeant d'un grand groupe de médias, qui ose me dire qu'« en privilégiant le profit immédiat et l'évolution à court terme des cours de Bourse, nous faisons, par cette réforme fiscale, peser tout le poids de notre dette sur nos enfants et nos petits-enfants ».

Évidemment, cela doit être nuancé par le fait que beaucoup d'entreprises et de grands dirigeants économiques ont, depuis le début de la présidence Trump, joué pleinement leur rôle de contre-pouvoirs. À la suite des violences raciales à Charlottesville, plusieurs grands patrons ont ainsi décidé de quitter les cercles économiques mis en place par le président américain pour le conseiller. De même, au moment de l'annonce par Trump de la sortie des États-Unis de l'accord de Paris, nombreux sont les entrepreneurs et dirigeants d'entreprise qui ont annoncé qu'ils continueraient de s'engager pleinement en faveur de la transition écologique.

Mais la polarisation croissante de la société américaine est un fait qui ne peut être ignoré. Ses racines sont profondes et bien antérieures à l'élection de Trump. Celui-ci n'en est d'ailleurs qu'un symptôme. Cependant, mon retour me permet d'observer que la rhétorique agressive de l'actuel président et les clivages qu'il ne cesse de nourrir au sein de la société américaine n'ont fait que renforcer ce phénomène. Celui-ci est d'autant plus dangereux que l'assimilation à un groupe s'inscrit presque systématiquement en opposition aux droits des autres groupes. Au moment où certains s'interrogent en France sur la pertinence d'importer les fondements d'un modèle communautariste dans notre pays, l'exemple américain devrait, à bien des égards, nous servir de garde-fou.

Le temps du retour

Il y a plusieurs années, j'avais quitté une France rongée par l'inertie où le cynisme faisait office de religion. Depuis mon retour, je vois un pays où les réformes sont menées au pas de charge et où un nombre croissant de Français innovent et prennent des risques. Il est désormais une France qui croit dans son avenir.

Mais de la même manière que la société américaine est profondément fracturée, il existe également une France qui a peur. Cette France se sent abandonnée et désarmée face aux changements technologiques, démographiques et sociétaux qui la frappent de plein fouet.

Certaines de ses craintes sont légitimes et il n'y aurait rien de pire que de les mépriser. Aucune mesure technocratique, si bien pensée soit-elle, ne sera par ailleurs suffisante pour répondre à ces peurs. Il est donc nécessaire de créer les conditions d'une adhésion plus profonde de la société française à un vaste mouvement de transformation. Pour cela, il ne faut pas simplement réformer. Il faut expliquer sans relâche le sens des mesures mises en œuvre et changer les mentalités.

Il le faut d'autant plus que la France demeure minée par des conservatismes profonds.

D'un côté, il y a ceux qui s'accrochent à leurs privilèges et vivent dans la nostalgie d'un passé mythifié. Au moment même où ils sentent qu'une partie de la société française leur échappe et souhaite aller de l'avant, ils optent pour la stratégie du pire. Pour préserver leurs intérêts corporatistes, ils recourent à la violence et tiennent un discours de haine. Encouragés par des populistes, qui y voient leur seule manière d'exister sur les plans électoral et médiatique, ils bloquent le pays au détriment de l'intérêt du plus grand nombre.

D'un autre côté, une partie des élites cherche par tous les moyens à maintenir le système de castes qu'est devenue, à bien des égards, la société française. Gravitant autour d'une aristocratie d'État, qui ne s'est jamais sentie aussi puissante, ces élites voient dans le moment présent une occasion quasi inespérée de préserver leurs intérêts.

Dans ce contexte, ce n'est pas un homme seul, même doté d'une force intérieure hors norme, qui pourra transformer en profondeur la société française. Lors d'un entretien récent, Jon Favreau, qui fut l'un des conseillers les plus proches de Barack Obama, a livré la principale leçon qu'il a retenue des huit années de la présidence de son ancien mentor : un homme, si brillant et charismatique soit-il, ne peut pas apporter seul toutes les réponses aux défis majeurs auxquels nos démocraties sont confrontées.

Pas plus qu'aux États-Unis l'homme providentiel n'existe en France.

Il serait illusoire et dangereux de le penser car notre société ferait alors reposer son indispensable transformation sur le destin d'un seul homme. Ce serait prendre le risque que, le jour où — de manière justifiée ou non — les mécontentements se cristalliseront à son égard, tout l'édifice qu'il a bâti soit alors balayé par un revirement soudain de l'opinion.

Dans un pays où les partis extrémistes ont recueilli près de 40 % des voix au premier tour de la dernière élection présidentielle et où toutes les études d'opinion montrent que leur base électorale ne s'érode pas, ce ne serait pas simplement une erreur. Ce serait condamner la France à se jeter, à plus ou moins long terme, dans la gueule des populistes.

Dans les mois qui suivirent l'élection de Trump, j'ai rencontré des dizaines d'Américains — issus de générations, classes sociales et sensibilités politiques différentes — qui m'ont tous avoué avoir un regret en commun : celui de ne pas s'être engagé avant pour transformer la société américaine et la rendre plus juste. Avec l'élection d'un homme ayant joué sur les plus bas instincts de leurs compatriotes, ils savent qu'ils paient désormais le prix de leur inaction et de leur atonie passée.

Si nous ne voulons pas faire face un jour aux mêmes regrets, alors c'est la société française, dans son ensemble, qui doit se mobiliser pour permettre à la France de réduire les fractures qui la minent. Si les Français laissent aux extrêmes le monopole du champ politique, alors, pour reprendre les mots d'Edmund Burke, le mal triomphera par l'inaction des gens de bien.

Composition : Entrelignes (64)
Achevé d'imprimer
par CPI Firmin-Didot
à Mesnil-sur-l'Estrée, en septembre 2018
Dépôt légal : septembre 2018
Numéro d'imprimeur : 148784

ISBN : 978-2-07-281878-3/Imprimé en France

341118